JN039663

La perra
Pilar Quintana

Copyright © 2017 [illegible] by Pilar Quintana
Japanese translation rights arranged with
[illegible]
through Japan UNI Agency, Inc., Tokyo

雌犬

「今朝そこで見つけたのよ、あおむけになってたのをさ」浜辺の一角を指してエロディアさんは言った。そこは丸太やビニール袋、瓶など、波が運んできたり砂のなかから出てきたりしたごみの吹き溜まりになっていた。

「毒にあたったの?」

「だと思うね」

「それで、どうしたの?　埋めた?」

エロディアさんは返事の代わりにうなずいた。

「うちの孫たちがね」

「上の墓地に?」

「いいや、ここに埋めただけだよ、この浜辺にさ」

村では、多くの犬が毒物死していた。だれかがわざと殺(や)ったのだという者もいたが、そんなことのできる人間がいるなんて、ダマリスには信じられない。だからきっと犬たちは、誤ってネズミ捕り用の毒の入ったエサを食べたか、あるいは毒入りのエサで中毒を起こしたネズミそのものを食べたのだろうと思っていた。弱っているネズミなら捕まえやすいからだ。

「かわいそうに」ダマリスは言った。

エロディアさんはただ、うなずいた。ずっと前から飼っていた犬だ。黒い雌犬で、普段はモーテルのそばで寝そべり、飼い主が出かけるときはどこにでもついていった。教会、嫁の家、商店、桟橋……。きっとひどく悲しいだろうに、それを表に出さない。黙々と、カップに入った牛乳を注射器で吸い上げては子犬に飲ませている。一匹終え、別の子犬をつかんだ。子犬は全部で十四、まだ目も開かないほど小さい。

「生まれて六日目さ」エロディアさんが言った。「長くは生きないだろうね」

ダマリスが物心ついたころから、エロディアさんは年寄りだった。分厚い硝子レンズの眼鏡のせいで巨大に見える目、でっぷりした下半身、口数少なく動きは緩慢。酔っぱらいの客や、テーブルの間を走り回る子どもたちがいてモーテルの食堂が大忙しの日でも、決して慌てることがない。だが今日は、気落ちしているように見えた。

「他人(ひと)にあげたらどう？」

「一匹はもらわれていった。でも、こんなに小さい犬をほしがる人はいないさ」

オフシーズンのモーテルは、テーブルもない、音楽も流れない、旅行客もいない、何もない。やたらとだだっ広く見えるがらんとした空間にぽつんと、ベンチに腰掛けたエロディアさんと、段ボール箱のなかの十匹の子犬がいた。ダマリスは子犬たちをじっくり見て、一匹を選んだ。

「この犬、もらっていっていい?」

ミルクを飲ませ終えた犬を箱に戻すと、エロディアさんはダマリスが指さした灰色で耳の垂れた子犬を取り上げ、腹側を見て言った。

「雌だよ」

引き潮のときは浜辺が大きく広がって、黒い砂というより泥のような地面が現れる。満潮のときは全体が水浸しになり、ジャングルに入り込んだ波が木片や枝、種や枯れ葉を連れて戻ってきて、人間の出したごみと混ざり合う。ダマリスは隣村に住むおばを訪ねた帰りだ。あっちの村は高台で、しっかりした地面の上にある。軍用飛行場の滑走路が通っていて、コンクリート造りのホテルやレストランがあり、こっちの村より近代的だ。その帰り道でエロディアさんの家に立ち寄ったのは、子犬と一緒にいる彼女を見てふと好奇心に駆られたからだった。そして今、もらった犬と一緒に浜の反対側にある自宅に向かっている。犬を入れるものがないから、胸に押しつけて歩いていた。

両手にすっぽり収まるほど小さな、ミルクのにおいのする犬。なんだか無性に、ぎゅっと抱きしめ泣きたくてたまらなくなった。

両側を家々に挟まれた一本の長い砂の道、それがダマリスの村だ。木の杭で持ち上げられた床、板壁や屋根に黒カビが生えた家々はどれもがたがきている。この雌犬を見たときのロヘリオの反応が、ダマリスはちょっと怖かった。ロヘリオは犬が好きではないが、それでも数匹飼っているのは、地所を守るためによく吠える番犬が必要だからだ。現在はダンジェル、モスコ、オリボの三匹が家にいる。

一番年かさのダンジェルは、小型船や旅行者の荷物のにおいをかぐ軍用犬のラブラドールに似ているが、大きくて角ばった頭の形は隣村のホテル・パシフィコ・レアルで飼っているピットブルと同じ。亡くなったホスエが飼っていた雌犬の子だ。ホスエは犬が好きだった。番犬用という名目で飼ってはいたが、可愛がってもいたし、狩りに連れていくために訓練も施していた。

ロヘリオがある日ホスエを訪ねていくと、そこにいた、まだ生後二か月にもならない同腹の子犬たちのなかから一匹だけが飛び出して、ロヘリオに向かって吠えかかってきたそうだ。ロヘリオはそのとき、自分に必要なのはこの犬だと思った。そこでホスエに譲ってもらい、英語で危険を意味するダンジェル（DANGER）と名づけた。成長したダンジェルは期待通り、猜疑心が強くて気性の荒い犬になった。他人に対してロヘリオはいつも、これはいい犬だと話し、大事にしているように見せかけているが、実際の扱いはただ脅しつけ、「おらっ！」と怒鳴り、さっと手を上げてみせるだけだった。それでダンジェルには、これまで殴られつづけた記憶がよみがえると知っているからだ。

　モスコは、小さなときにひどい目に遭ったことが見てとれる犬だった。小さくて痩せっぽちで、いつも体を震わせている。ある日突然地所に現れたが、ダンジェルが受け入れたので、一緒に飼うことにした。来たときには尾に傷を負っていて、数日すると化膿した。ふたりが気づいたときには傷口にうじやうじゃと虫が湧いていて、そこから完全に成虫になったハエが飛んでいったのがダマリスには見えたような気がした。

「見た?!」ダマリスは訊いた。

ロヘリオは何も見ていなかったが、ダマリスの説明を聞くと大笑いし、ようやくあの畜生の名前を思いついたぞと言った。

「さあ、じっとしてろ、くそったれモスコ〔コロンビアでハエを意味する〕」

そう命令すると、ロヘリオはモスコの尾の先をつかんだ。ダマリスが意図を察する前に、ロヘリオは山刀を振り上げ、ばっさりと尾を切り落とした。ギャンッと声を上げてモスコは走り出し、ダマリスは震えあがってロヘリオを見た。彼は蛆虫だらけの尾を手に持ったまま、肩をすくめて言った。おれはただ、化膿を止めようとしただけさ。だけど彼は楽しんでいたに違いないと、ダマリスは思った。

最も若いオリボは、ダンジェルと、隣家のラブラドール・レトリーバーの雌犬の子だ。お隣さんによると、そのラブラドールは純血種らしい。父親に似ているが、体毛はもっと長くて灰色。三匹のなかでも特に、人になつかない。三匹ともロヘリオには近づかないし、人間を信用していないが、なかでもオリボはだれにも近づかず、不信感も強くて、人間が視界に入っているときはエサを食べないほどだ。それは犬たちがエサを食べているときを利用して、ロヘリオが気づかれないようにそっと近づき、細い竹で鞭打つからだということをダマリスは知っている。竹はそのためだけに所有しているもので、彼らが悪さをしたときだけでなく、たたいて楽しむために鞭打つときもあった。そんなふうに育ったオリボは、なつかないだけでなく、油断のならない犬でもある。吠えもせず、後ろからそっと近づいて人に嚙みつくのだ。

この雌犬の場合は全く別だと、ダマリスはつぶやいた。これはわたしの犬、ロヘリオには絶対、そんなことはさせない。いやそうな目で見ることすら許さない。そんなことを考えているうちにハイメさんの店の前まで来ていたので、犬を見せた。

「えらく小っちぇえな」ハイメさんが言った。

ハイメさんの店はカウンターがひとつ、壁の陳列棚がひとつだけの簡素な店だが、品ぞろえは豊富で、食料品から釘やねじまで売っていた。内陸部出身の彼は、海軍基地が建設中だった時代に無一文で村にやってきて、自分よりもっと貧しい黒人女性と一緒になった。呪術を用いて暮らしを良くしたなどと陰口をたたく者もいたが、ダマリスの意見は違った。ハイメさんは善良で働き者だから店を構えるまでになったのだと考えていた。

その日は一週間分の野菜と翌日の朝食用のパン、粉ミルク一袋と犬にミルクを飲ませるための注射器をつけで買った。おまけとして、ハイメさんが段ボール箱をくれた。

ロヘリオは大柄で屈強な黒人男性で、いつも怒ったような顔をしている。ダマリスが雌犬を連れて帰ったとき、彼は家の外で草刈り機のモーターを手入れしていた。ダマリスを見ても挨拶すらせず、だしぬけに言った。

「新しい犬か？　おれが世話するなんて思うなよ」

「だれもあんたに頼んでないわ」ダマリスは答え、まっすぐ小屋に向かった。

注射器は役に立たなかった。ダマリスの腕は力強いが動きは鈍く、指は体のほかの部分と同じく太い。何度やってもピストンを奥まで押し込んでしまうので、ミルクが鼻口部から出て周りに飛び散った。犬はまだ舐めることができず、ミルクを皿に入れて与えることはできない。村で売っている哺乳瓶は人間の赤ちゃん用で、子犬には大きすぎた。ハイメさんがスポイトを使えばいいというのでやってみたが、一滴、一滴吸わせていては、いつまで経っても満腹にならない。そこで思いついたのが、パンをミルクに浸して犬に吸わせることだ。この方法はうまくいき、犬はパンごと吸い上げた。

ふたりが住む小屋は浜辺ではなく、木がうっそうと茂る断崖の上にあった。都市部に住む白人たちが所有する別荘地だ。広くてきれいな別荘には、庭や石畳の歩道、プールがついていた。ここから村に行くには、長くて急な階段を下りなければならない。雨がよく降り地衣類がびっしり生えているので、滑らないよう頻繁に足を段にこすりつけて落とす必要があった。下りたあとは入り江を渡る。川と海の合流地点だが、広くて川そのもののように流れが速く、潮の満ち引きがあった。

この時期は朝、潮が高い。だから犬用のパンを買いに行くためにダマリスは早起きし、小屋からオールを持ち出して、肩に担いで階段を下り、乗船場から押し出して海に浮かべた小舟に乗り、漕いで渡らなければならなかった。向こう岸に着くと小舟を椰子の木につなぎ、オールを再び肩に担いで入り江のそばの漁師の家に持っていき、漁師かその妻、あるいは子どもたちに預かっておいてと頼み、愚痴や近所の噂話を聞き、歩いて村のなかほどにあるハイメさんの店に行く……。そして帰りはその行程を逆にたどる。雨が降っても毎日往復した。

昼の間は、犬をブラジャーのなかに入れていた。柔らかく豊かな乳房の間にはさんでおくと、犬が暖かく過ごせるからだ。夜はハイメさんにもらった段ボール箱のなかで寝かせるが、箱にはお湯の入った瓶と一緒に、その日着ていたTシャツを入れるようにしていた。ダマリスのにおいがすれば、犬が寂しがらないからだった。

彼らが住む小屋は木造で、状態はよくなかった。嵐が来ると、小屋は雷鳴でぶるぶる震え、風でゆらゆら揺れ、天井の雨漏りする場所や壁板の亀裂から水が入り込んで、全体が冷えて湿っぽくなり、子犬は甲高い声で鳴きはじめる。夫婦が別々の部屋で眠るようになってからずいぶん経つが、嵐の夜はロヘリオから何か言われたりされたりする前にと、ダマリスは素早く起き上がり、雌犬を箱から出す。暗闇のなか、自分をちっぽけで海の砂よりもっと小さく取るに足りない存在のように感じながら、炸裂する稲妻と猛り狂う風に死ぬほど怯える雌犬を撫でていると、やがて犬は鳴き止むのだった。

昼間もダマリスは犬を撫でた。午前の仕事と昼食を終えた午後、プラスチック製の椅子に腰かけ、犬を膝にのせて連続ドラマを見る。家にいるとき、ロヘリオは犬の背に指を滑らせているダマリスを見るが、何もしないし何も言わなかった。

あれこれ言ったのはルスミラだ。彼女が家を訪ねてきたときのことで、その間ダマリスは犬をブラジャーではなく、できる限り箱に入れていたにもかかわらず、だ。ルスミラはロヘリオと違って犬を痛めつけたりはしないが、さげすんでいる。物事の否定的な側面だけを見て、始終他人の批判ばかりしているタイプの人間だった。

雌犬はずっと眠っていた。目を覚ますと食べ物を与え、排泄させるため草の上に放した。ルスミラがいる間に目を覚ましたのは二度だが、その二度ともダマリスは食べ物を与え、夜から午前中にかけて降りつづいた雨にじっとり濡れた草の上に犬を放した。本当は犬がルスミラの目に触れないように、飼っていることさえ知られないようにしたかったが、犬がおなかをすかせたり、排泄物で体を汚したりするのもいやだった。その日は空も海も塗り込めたような一面の灰色、空気がひどくじめじめして、魚が水から出ても生きていけそうな天気だった。ダマリスは犬の足をタオルで拭いてやり、体を手で少しこすって温めてから箱に戻してやりたかったが、ルスミラが非難するようにじっと見ているので、我慢した。

「あんた、触りすぎてその動物を殺しちゃうよ」

それを聞いて心が痛んだが、ダマリスは黙っていた。わざわざ喧嘩を始めることはない。そのあとルスミラがいやそうな顔で犬の名前を訊いてきたので、ダマリスはしぶしぶ、チルリと答えた。ふたりは従姉妹同士で、生まれたときから一緒に育った仲だから、お互いのことは何でも知っている。

「チルリって、あのビューティクイーンみたいな?」ルスミラが笑った。

「あんた、娘が生まれたらその名前にするって言ってなかった?」

ダマリスには子どもができなかった。十八歳でロヘリオと一緒になり、二年が過ぎたころから、周囲に「赤ちゃんはまだ？」とか「遅いけど、どうしたの」と言われはじめた。ふたりは避妊していたわけでもなんでもないし、そのころからダマリスは、マリアとエスピリトゥ・サントという二種類の山の薬草を煎じて飲むようになっていた。どちらも子づくりにいい薬草だと聞いていたからだ。

そのころは村で部屋を借りて住んでいた。ダマリスは崖まで薬草を摘みに行っていたが、土地の所有者の許可はとっていなかった。多少の後ろめたさはあったが、これはだれにも関係ない、自分だけの問題だと考えていた。だからロヘリオが漁か猟に出ているときに薬草を煎じてこっそり飲んだ。

ダマリスが何か隠し事をしていると疑いはじめたロヘリオは、狩りで動物のあとを追うように、気づかれないよう彼女のあとをつけた。そして薬草を摘んでいるのを見つけると、呪術を行うのだと思い込み、彼女の前に立ちはだかって、怒り狂った表情でにらみつけた。

「その薬を何に使うんだ？」ロヘリオは言った。「おまえ、何やってるんだよ⁈」

霧雨が降っていた。ふたりは山のなかにいた。電線を通すために木が切り倒された、醜悪な場所だ。立ったまま腐っている木の幹が、打ち捨てられた墓碑のように見えた。彼が長靴を履いているのに対して、彼女は泥だらけの素足だった。ダマリスはうつむき、小さな声でここにいるわけを語った。彼はしばらく黙っていた。

「おれはおまえの夫だぞ」ようやく、口を開いた。「これはおまえひとりの問題じゃない」

それ以来、ふたりは一緒に薬草を摘みに行き、煎じ薬を作り、夜になれば子どもにつける名前を話し合うようになった。だがふたりの意見はことごとく一致しなかったので、男の子が生まれたらロヘリオが、女の子ならダマリスが名前をつけるということにした。子どもは四人ほしかった。できれば男の子と女の子、ふたりずつ。ところがさらに二年が経った。子どものことを訊かれれば、ダマリスが妊娠できなくてねと答えなければならなくなってい た。人々はだんだんその話題を避けるようになり、おばのヒルマはダマリスに、サントスのところへ行きなさいとアドバイスした。

サントスは男性の名前だが、おばに紹介された人物は女性で、チョコ県の黒人女性とバホ・サン・フアンの先住民男性の間にできた娘だった。薬草に通じ、マッサージができ、秘術で、つまり呪文を唱え祈禱して治療を行っていた。ダマリスにもそれらを一通り試したが、うまくいかないと見てとると、夫のほうに問題があるに違いないと言い出し、ロヘリオを呼びつけた。気は進まないようだったが、ロヘリオはサントスが差し出す薬湯をすべて飲み、祈禱をすべて受け、マッサージにも耐えた。それでも妊娠できず、その期間が長くなるにつれロヘリオは治療に通うのを渋るようになり、ある日、もう行かないときっぱり言った。その宣言をまるで自分への攻撃のように感じたダマリスは、彼と話をしなくなった。

一緒に住んで、同じベッドで眠っているというのに、三か月間も口をきかなかった。そんなある夜、ロヘリオがかなり酔って帰宅し、おれだって子どもがほしいと言い出した。だけどサントスからのプレッシャーやくそったれの薬草、マッサージや祈禱がいやなんだ。あそこへ通って治療を続けてほしいか、ロヘリオはそう訊いた。当時彼らは、大きな家の納戸を借りて住んでいた。かつて村いちばんの豪邸だったその家は、白アリと錆にやられてひどく傷み、彼らの部屋はベッドと古いブラウン管テレビ、二口ガスコンロだけでいっぱいになるほど狭かった。だけど窓は海に面していた。

錆びた鉄のにおいのするそよ風を顔に受けながら、ダマリスは窓辺にしばしたたずんだ。ロヘリオが服を脱いで横になると、ダマリスは窓を閉めて隣に寝そべり、彼の体を撫ではじめた。その夜は子どものことも、ほかのどんなことも考えずに性交し、それ以来、子どもについては話さなくなった。それでもときどき、知り合いが妊娠したとか、村で子どもが生まれたとかいう話を聞くと、ロヘリオが寝入ったあと、ダマリスは目をぎゅっとつむってこぶしを握り、声を殺して泣いた。

ダマリスが三十歳になったころには暮らし向きもよくなり、同じ家屋のもう少し広い部屋に移っていた。彼女は崖の上の土地の所有者のひとり、ロサ夫人の家で働き、固定収入を得ていた。ロヘリオは〈風と潮〉号という名の大型船に乗り込んで漁をした。魚を数トンも積める船で、一度遠洋に出ると何日も戻らない。一度、仲間と一緒にメロを三匹とノコギリエイを山ほど釣ったうえ、真鯛の魚群に遭遇したのも手伝って、相当の利を上げたことがあった。そのときの漁獲高はほぼ一トン半に達し、彼も仲間もそれぞれかなりの額を手にした。彼はその金で新しい刺し網とスピーカーが四つあるオーディオセットを買おうと言ったが、ダマリスはすぐには返事をしなかった。子どもを産むのをまだあきらめてはいないこと、どんな犠牲を払うことになってもかまわないから、もう一度チャレンジしたいということを、どう伝えようかと考えていたのだ。

　当時のダマリスよりだいぶ年上の三十八歳で妊娠し、かわいらしい赤ちゃんを授かったという女性の話をおばから聞いたことがあった。隣村で評判の高いハイバナの施術のおかげだという。ハイバナというのは先住民の呪術医を指す言葉だ。診察料は高額だが、貯めた金で治療を始めることはできるだろう。そのあとのことは、それから考えればいい。ある夜、次の日にオーディオセットを買いにブエナベントゥーラに行くぞとロヘリオが言うと、ダマリスは泣き出した。

「わたしはオーディオセットなんてほしくない」そして、こう続けた。「わたしは赤ちゃんがほしいの」

　泣きながら、ダマリスは話した。三十八歳の女性の話、声を殺して泣いた夜のこと、皆が子どもを産めるのに自分は産めないのがどれほどつらいか、妊娠中の女性や生まれたての赤ん坊、子どもを連れたカップルを見るたびに心に突き刺されるような痛みが走ること、小さな子を胸に抱いてあやしたいと切望しながら毎月生理を迎えるのは拷問に等しいと感じることを。ロヘリオは何も言わずに耳を傾け、聞き終えると彼女を抱きしめた。ふたりはそのときベッドにいたから、全身を使っての抱擁となり、やがてそのまま眠りについた。

ハイバナの治療は長期間続いた。彼はダマリスに薬湯を与え、入浴させ、香を焚きしめ、儀式に招いて油を塗り、マッサージし、煙を吹きかけ、祈り、歌った。次にロヘリオにも同じことをしたが、今度は、彼はふてくされた態度をとったり拒否したりしなかった。だがこれらは、あくまで事前準備に過ぎない。本当の治療はハイバナがダマリスに施す手術だった。手術といってもどこかを切るのではなく、彼女の卵子とロヘリオの精子が通る道をきれいにし、胎内を整えて赤ん坊を迎えられる状態にするのを目的としていた。非常に高額な手術で、費用を貯めるのに一年かかった。

手術はある夜、ハイバナの診療所で行われた。診療所といっても見上げるほどに高い杭の上に建つ藁ぶき屋根の掘立小屋で、隣村のもっと向こう、木が伐採され乾いた地面がむき出しになった山の中腹にある。ブヨが飛び交い、雑草やパンパスグラス、ぎざぎざの葉が重なり合うシダが一面に生えていた。ロヘリオは、小屋に入っていくダマリスを見送った。彼女とハイバナ以外の人間が立ち会うことは許されなかったからだ。

ふたりきりになると、ハイバナはダマリスに黒くて苦い液体を飲ませ、床に敷いたマットレスの上に横になるよう言った。ストレッチ生地のひざ丈のパンツと半そでのブラウスを着た彼女は、横になるやいなや、ブヨの大群に襲われた。ブヨはハイバナには目もくれず、彼女だけを刺す。耳のなか、頭皮、それに服の上からも、体じゅうをくまなく刺したあと、ブヨたちは突然姿を消した。ダマリスの耳には、遠くで鳴くフクロウの声が聞こえはじめた。フクロウの声が少しずつ近づき、ほかには何も聞こえないほど大きくなったとき、眠りに落ちた。

眠っている間は何も感じなかった。翌朝目を覚ますと、服装に乱れはなく、いつも感じている背中の軽い痛みもそのままで、体にはなんら変わったところはなかった。外で待っていたロヘリオに付き添われ、家に帰った。

その後、生理が遅れることさえなかった。もうあなたたちのためにできることはないと、ハイバナにきっぱり言われた。ダマリスはどういうわけか、それで気持ちが軽くなった。性交はもはや、ふたりにとって義務となり果てていたからだ。それをきっかけにしなくなったのは、最初はおそらくお互いに、ちょっと休憩くらいの気持ちからだった。ダマリスは解放された気分の反面、自分は負けたんだ、役立たずだという気もしていた。女性として恥ずかしい、ぽんこつの生殖機能の持ち主だと。

そのころには、ふたりはすでに崖の上に住んでいた。管理人小屋には小さな居間と狭い部屋がふたつ。トイレはあるがシャワーはない。流しもないが、コンロを置けるキッチンカウンターがついている。だがふたりとも料理はあずまやでするほうを好んだ。広いし、大きな流しと薪をくべるかまどがついているので、ガスを節約できるからだ。管理人小屋はごく狭く、二時間もあればすみずみまで掃除できる。ところがその時期、ダマリスは取りつかれたように家事をして、家の掃除に一週間かけた。板壁を内側からも外側からも、床板を家のなかからも床下からも拭き、歯ブラシで板のつなぎ目の汚れを掻き出し、木材の穴や割れ目に詰まった汚れは釘でほじり出し、内側の天井板はスポンジで拭いた。天井を拭くのにプラスチック製の椅子やキッチンカウンター、トイレのタンクなどあらゆるものに上ったところ、陶器のタンクは体重で壊れてしまい、買い替えるためにまた節約する羽目になった。

二か月経ち、ロヘリオが体を求めてきたとき、ダマリスは断った。次の夜もまた断り、一週間断りつづけて、とうとう彼は誘ってこなくなった。ダマリスはうれしかった。もう妊娠できるかもしれないなんて期待していないし、どうか生理が来ませんようにという切なる願いもむなしく、きちんと来たのを見ては苦しむこともなくなっていた。だけどロヘリオは拒否されたのを恨みに思い、いじけたように、ダマリスがトイレのタンクを壊したことや、しょっちゅう食器を割ることを非難するようになった。ダマリスが手を滑らせ、皿や瓶、コップなどを割るたびにあてこすり、「がさつだな」とからかう。「おまえは陶器が木に生ってると思ってんのか?」「次やったら罰金とるぞ、わかったな?」とも言うようになった。とうとうある夜、彼のいびきがうるさくて眠れないと言い訳して、ダマリスは別の部屋で寝ることにした。そして二度と、元の寝室には戻らなかった。

今、彼女は四十歳になろうとしている。女が乾く年ごろだと、エリエセルおじが言うのを聞いたことがあった。少し前、ちょうど雌犬をもらった日のことも思い出した。おばの家を訪ねたついでに、ルスミラに縮毛矯正をしてもらったときのことだ。矯正液をつけながら、ルスミラはダマリスの肌をほめ、きれいに保ってるわね、シミもしわもないわと言った。

「それに比べて、あたしときたら」卑下しつつ、言い訳のように付け加えた。「まあもちろん、あんたは子どもを産まなかったからね」

あの日のルスミラは機嫌がよく、純粋に称賛のつもりだったのだろうが、ダマリスは骨がきしむほど胸が痛んだ。ルスミラが、そしてきっとみんなが、ダマリスの子づくりは失敗したとみなしていることに気づいたからだ。実際、失敗だったとダマリス自身もわかっているのだが、受け入れるのはつらかった。

三十七歳にして娘がふたり、孫娘もふたりいる従妹から今日も無神経な言葉を聞いて、ダマリスは意趣返しをしたくなった。連続ドラマのヒロインのように悲劇的に、目に涙を浮かべてこう言ってやりたい。「そうよ、チルリと名づけたの、とうとう産んであげられなかった娘の代わりにね」そして、意地悪なことを言ったと後悔させてやるのだ。だけど実際には悲劇のヒロインになることもなかったし、何も言わなかった。雌犬を箱に戻したダマリスは、今週、父親と話したかと彼女に訊いた。ルスミラの父、エリエセルおじは南部に住んでいて、最近は健康状態が思わしくなかった。

ダマリスは村に下りると、ときどきエロディアさんの家に寄って子犬たちのことを訊いた。エロディアさんの元に残ったのは一匹。モーテルに置いた段ボール箱のなかで飼い、今も注射器でミルクを飲ませている。ほかの犬はふたつの村の知人たちにもらわれていったが、その後毎日のように死んでいったという。一匹は、もらわれた家で先に飼っていた犬に襲われ、あとの七匹は原因がわからない。きっとあまりにも小さくて、もらった人たちもどう扱えばいいかわからなかったのだ。ダマリスは自分にそう言い聞かせようとするが、頭のなかでは、ルスミラの言葉が何度となくこだましていた。「あんた、触りすぎてその動物を殺しちゃうよ」そして思うのだ。自分のやっていることも全部間違いで、近いうちに、朝目覚めたら兄弟たちと同じように冷たくなっている雌犬を発見することになるだろうと。

生まれたときに十一匹いた子犬が、ひと月後にはたった三匹になった。ダマリスの雌犬、それにエロディアさんとヒメナの雄犬だ。ヒメナは六十がらみの女性で、隣村で手工芸品を売り生計を立てている。彼女が犬を死なせていないというのは、ダマリスにとって驚きだった。個人的に知っているわけではないが、ふしだらな女性だという印象を持っていたからだ。一度、クジラ祭のときに立っていられないほど酔っぱらっているのを見たことがあった。また別のとき、日曜の朝だったが、酔いつぶれて隣村の浜辺へと下りる階段で長々と伸びているのも見た。服にどろどろの吐瀉物がこびりついていた。

「あたしたちのは乗り越えたよ」エロディアさんが言った。「これから死ぬことがあっても、別の理由さ」

それを聞いたダマリスは、まずほっとして、次いで満足感を覚えた。間違っていたのはルスミラだと思ったからだが、本人に向かってあてこすりを言うつもりはない。従妹は、何を言っても非難されたと感じ、何かにつけてカッとする人だ。わざわざ喧嘩の種をまいてどうなる？　さっき目を覚まし、ごはんをちょうだいと歩いてくる雌犬が、ダマリスが正しかったことを証明してくれるというのに。

ダマリスは相変わらずブラジャーに犬を入れて運んでいたが、日に日に重くなってきて、地面に下ろす時間が増えた。舐めること、ボウルに入ったものを食べることができるようになったので、ダマリスは魚のスープを与えて栄養をつけさせ、最近ではほかの犬たちと同様、残飯も食べさせていた。そして小屋のなかはもちろん、あずまやでも用を足さないようにしつけを始めていた。ダマリスは午前中、犬と一緒にあずまやで過ごし、料理をしたり洗濯物を畳んだりするからだ。

これまでのところ、ロヘリオは雌犬をいじめたりはしていなかった。だが近ごろでは雌犬も活発になり、ダマリスの行くところならどこにでもついてきて、足にとびかかったり、鋭い歯を向けてほかの犬たちを煩わせたりしている。ダマリスは警戒を始めた。もし雌犬に何かしたら、ロヘリオを殺してやる。たとえ手を上げただけだとしても。だがロヘリオは、そろそろ小屋から出す時期だと言っただけだった。人のいるところに慣れて、お屋敷のものを壊したりしたらいけないからだ。

エリエセルおじは崖の所有者だったが、七〇年代に土地を四区画に分けて売りに出した。ダマリスはおじに育てられた。彼女の母を孕ませた男はこの地域に赴任していた軍人だったが、妊娠がわかると逃げ出したため、捨てられた母が働きに出て、娘の養育費を稼がなければならなかったからだ。母はブエナベントゥーラで家政婦として働き、少しでもお金が貯まれば送ってきた。クリスマスや聖週間、長めの連休には帰ってきて一緒に過ごした。エリエセルおじとヒルマおばが所有していた土地に建てた小屋でダマリスは育った。今はロサ夫人が住んでいるその土地が、最初に売れた区画だ。次いで隣接の土地をアルメニアから来たエンジニアが、その裏の土地をレジェス家が買った。

　レジェス家はカリ出身でボゴタ在住のルイス・アルフレド氏と、ボゴタ出身の妻エルビラ、息子のニコラシートの三人家族。買った土地に、お屋敷と呼ばれている母屋、プール、広いあずまやを建てた。お屋敷は当時の最新素材だったアルミニウムのボードが全面に貼られていて、あずまやには流しと、サンコチョ〔キャッサバやバナナを入れた煮込み料理〕や焼き肉、パーティ料理を作れるかまどがついていた。さらに管理人用の木造の小屋も建てた。ダマリスたち一家はレジェス家の隣の、まだ売れていない土地に引っ越した。レジェス家は休暇のたびに崖の上の家にやってきたので、ニコラシートとダマリスは友だちになった。ふたりは同じ年というだけでなく、生まれた日も同じだった。誕生日としては最悪の日付、一月一日生まれだったのだ。

　それは十二月のことだった。そのころ、村にはまだ電気が来ておらず、ダマリスとルスミラはエルビラ夫人がボゴタから持ってきた『クロモス』などの雑誌を眺めては、新しくミス・コロンビアに選出されたばかりのシルリ(Shirley)・サエンスの写真にうっとりしていた。ニコラシートは探検に凝っていた。断崖に遠征するときはすっかり探検家気取りで、ダマリスを案内役に、たとえ昼でも懐中電灯を持って出かけるのだった。ふたりはもうすぐ八歳になろうとしていた。探検にはたいていルスミラも一緒に行ったが、その日彼女は遠征隊の先頭にしてくれないからと激怒し、蛇除けの棒を地面にたたきつけて、悪態をつきながら家に帰ってしまった。

そこで、ダマリスとニコラシートだけで目的地まで行った。そこは崖の下の、海に突き出た岩だらけの場所で、山肌を舐めるように波が打ち寄せていた。初めのうちはふたりとも、切り取った葉っぱを担ぎ、一列になって木の幹を下りてくるハキリアリをおとなしく眺めていた。アリたちは大きくて赤く、固い皮に覆われ、頭と背中から鋭い角のようなものが突き出ている。

「鎧を着込んだみたいだ」ニコラシートが言った。それから、波しぶきを浴びたいと言って岩場へ近寄った。危ないよ、ここの岩は滑りやすくて、波は急に高くなることがあるんだよと言って、ダマリスは止めようとした。だがニコラシートは聞く耳を持たず、岩の上に立った。波がはじけたのはそのときだ。荒々しい波が、彼の体を運び去った。

その映像は、ダマリスの記憶に焼きついた。海に向かって立つ色白で背の高い子ども、次の瞬間に襲い掛かる白い波、引いたあとには何もなく、遠目には穏やかに見える緑の海の上に顔を出す、空っぽの岩。そしてそこで、ハキリアリたちのそばで、なすすべもなくたたずむ自分。

ダマリスはひとりで崖の上まで戻らなければならなかった。ジャングルはかつてないほど閉ざされた暗い空間に思えた。頭上には樹冠がびっしりと重なり、地面では根が絡まりあう。足は枯れ葉のじゅうたんに埋まり、泥に沈み、そのうち耳に聞こえる呼吸の音が自分のものではなくジャングルが吐く息のように思え、アリと植物がぎっしり詰まった緑の海でおぼれているのはニコラシートではなくダマリス自身なのだという気がしてきた。逃げたかった。消えてしまいたかった。だれにも何も言わず、ジャングルに飲み込まれてしまいたかった。走り出したがつまずいて倒れ、起き上がってまた走り出した。

レジェス家の地所に入ると、ヒルマおばが小屋のなかで管理人たちと話していた。海岸での出来事を知ったヒルマは、ダマリスを一切咎めることなく、すべてを引き受けた。小舟を使ってニコラシートを探しに行ってほしいと管理人たちに頼んでから、エルビラ夫人に知らせに行った。ルイス・アルフレド氏は釣りで沖合に出ており、夫人がひとりで家にいたのだ。ヒルマが家の中に入り、ダマリスはバルコニーで待っていた。風はなかった。木の葉はそよともせず、聞こえるのはただ海の音だけ。時間が間延びして、ダマリスはこのままここで大人になり、やがて老いていくのだという気がした。

とうとう、ふたりが出てきた。エルビラ夫人は半狂乱になっている。叫び、泣き、ダマリスの背の高さまでかがみ込んだかと思うと身を起こし、手を振り回しながらバルコニーを行ったり来たりして、矢継ぎ早に質問し、そのあとまた同じことを別の言い方で訊いてきた。何を訊かれたかダマリスは忘れてしまったが、夫人の顔とそこに浮かんだ苦悩、その目は忘れなかった。青い目のなかの小さな血管が破裂し、白目の部分を赤く染めていった。

その日は夜になるまでニコラシートを探し、それからも毎日捜索が続いた。エリエセルおじも捜索に加わっていたが、午後になると浮かぬ顔で戻ってきて、小屋の入り口に置いた丸太に腰掛ける。それは、こっちに来いという合図だとダマリスは知っていた。ただでさえ不機嫌なおじをさらに怒らせたくはないから、彼が座るとダマリスはすぐさま近寄る。するとおじは堅くてよくしなるグアバの枝をつかみ、彼女の腿を打った。体をこわばらせたらだめだよと、ヒルマおばは言った。腿の力を抜いておけば、それほど痛くないからと。ダマリスは力を抜こうとしてみたが、ただでさえ怯えているところに一発目の鞭のしなる音を聞いたら、それだけで全身の筋肉がぎゅっとこわばってしまう。そうなるともう、一発打たれるたびに痛みはより増していくのだった。彼女の太腿はキリストの背中のようになった。最初の日は一発、二日目は二発と、ニコラシートの不在の日数に合わせて、鞭打たれる回数も一発ずつ増えていった。

エリエセルおじがその日課をやめたのは、三十四回鞭打たれるはずの日だった。海にさらわれた遺体が戻ってくるまで三十四日かかったのは、それまでの最長記録だ。硝石と日光の作用で皮膚がはがれ、魚に食われて一部は骨までむき出しになり、近くで見た人によると、悪臭を放っていたという。

ヒルマおば、ルスミラ、ダマリスは崖の上まで行って見下ろした。さらに縮んだかのように見える遺体、砂浜に横たえられた小さな遺体を、並外れた金髪で、並外れて痩せていながら、並外れて美しいエルビラ夫人が少し持ち上げて抱きかかえ、息子がまるで今もかわいらしい姿のままであるかのように、キスの雨を降らせていた。ヒルマおばの手が背中に回されたのを感じると、ダマリスはもう我慢できずに泣き出した。悲劇が起きてから初めて流した涙だった。

それ以来、レジェス夫妻は崖の上の家に来なくなったが、かといって売りに出すわけでもなかった。エリエセルおじは最後の区画をトゥルア姉妹に売り、自分は村に二階建ての家を建てて家族と一緒に移り住んだ。ダマリスの母も、もうブエナベントゥーラで働く必要がなくなり、帰ってきて同居した。豊かな時代だった。おじは土地の売却を始めたころに得た金で南部の土地を手に入れており、そこに最初の妻との間にできた子どもたちを住まわせた。また小型船も二艘買い、釣り船として貸し出していた。突然富裕層の仲間入りをしたエリエセルおじは、道路まで占領して週末の間ずっと続くパーティを催すようになった。こうして金は出ていきはじめた。

やがて借金がかさみ、返済のために小型船を一艘売らなければならなくなった。それからは悪運続きだった。翌年、残ったもう一艘が大波を受けて沈み、その数か月後、十二月のクリスマスシーズンの騒ぎでだれかが発砲し、流れ弾が当たってダマリスの母が胸を負傷した。村の診療所ではなすすべがなく、ブエナベントゥーラにボートで救急搬送されたが、病院に着くまでに息を引き取った。十四歳だったダマリスは、間もなく行うはずだった十五歳の記念パーティを中止にした。母とともに計画していたお祝いだった。そのときはもう、ただ静かに泣かせてほしくて、ルスミラと共用の部屋に閉じこもった。初めのうちはベッドの上で泣いていたが、隣に座ったルスミラに髪を三つ編みにしてもらったり、村の噂話を聞かされたりしているうちに、ダマリスは笑った。

こんなに不幸が続くのはただごとではない、だれか妬む者がいて、呪いをかけたに違いないと村の人々は言っていた。不安になったおじたちはサントスに来てもらい、家屋と家族全員をお清めしてもらったが、状況はよくならなかった。

ついに荒波で家屋が倒壊し、建て直す金もなかったので、一家は離散した。そのころすでに、ロヘリオは村に来ていた。乗っていた釣り船が故障して停泊していたのだ。交換部品がブエナベントゥーラから届き、修理が終わるまでの間、ロヘリオはもっぱらビールを飲み、村の娘たちを眺めて過ごしていた。ダマリスと浜辺で出会ったのはある日曜日のことだ。船の修理が終わると同時にロヘリオは仕事をやめ、村で部屋を借りてダマリスと一緒に暮らしはじめた。エリエセルおじとヒルマおばは離婚した。エリエセルは上の子どもたちと暮らすために南部に行き、ヒルマおばはホテル・パシフィコ・レアルのウェイトレスの仕事を見つけて、ルスミラと一緒に隣村へ引っ越していった。

ときが経つにつれ、レジェス家の管理人たちの昇給が止まり、洗剤、肥料、ワックス、燻蒸剤、ペンキ、塩素、草刈り機用のオイルとガソリン、プールの浄化用植物等々、地所を維持するのに必要な物品も送られてこなくなった。そして、レジェス氏がボゴタで経営していたカバン工場が倒産していたことが分かった。管理人たちは内陸部にある農場で仕事を見つけて村を去り、代わりにホスエがレジェス家の管理の仕事を引き受けた。村にやってきたばかりのホスエは、妻も子もなく、失うものが何もない男だった。給料は最低賃金の半分以下だったが、彼は魚を釣ったり狩りをしたりして自分で補っていた。ほどなくして、突然レジェス夫妻からの給料の支払いがなくなったが、どこにも行くところのない彼は、そのまま地所にとどまった。その後、ホスエは銃弾に当たって亡くなった。狩猟事故と思われた。

エリエセルおじは南部におり、ヒルマおばは脳溢血を患って、言語が不明瞭になっていた。ルスミラはすでに結婚しており、ブエナベントゥーラで次女を産んだばかりだった。ダマリス以外に、レジェス夫妻に近しく、管理人の死を伝えられる人間は村にいなかった。

そのころ、まだ地域に携帯電話はなかった。電話局はふたつの村の境目にあった。この界隈では数少ない、レンガ造りの建物だ。窓はひとつだけで、暑い時期、内部はさらに暑くなり、涼しいときはさらに涼しく感じられた。ダマリスはボゴタにもカリにも行ったことはない。唯一、行ったことのある都市は小型船で一時間のところにあるブエナベントゥーラだが、そこには高い建物はなかった。山岳地方の寒さも知らないが、テレビで見たり人の話を聞いたりして、ボゴタは雨が一週間降りつづいたあとの電話局のようなものだろうと想像していた。暗くて音が反響し、洞窟のように湿ったにおいがする場所。

レジェス夫妻に電話した日は太陽が出ていたが、雲が多く、村はサンコチョの鍋のなかのように蒸し暑かった。手に握りしめていた紙が汗で湿り、ホスエのノートからメモしてきた電話番号があやうく読めなくなるところだった。ダマリスはブースに入ってダイヤルした。回線がつながるまでのほんの一秒が、ひどく長く感じられ、ようやく始まった呼び出し音を聞きながら、この音の向こう側にあるのは自分の過去のとても醜い部分、そして想像すらつかない怪物のような都市なのだとダマリスは考えた。切ってしまおうとしたとき、男の声が聞こえた。

「ルイス・アルフレドさんですか？」

「はい」

ダマリスは逃げ出したくなった。

「ダマリスです」

その名前を聞き、ルイス・アルフレド氏は黙り込んだ。恐ろしいほどの沈黙をダマリスは、三十三日間、午後になるとおじの鞭打ちを受けたときと同様にあきらめの境地で受け入れた。レジェス夫妻にとって彼女は凶鳥、不吉なことの前兆だ。それでも精一杯、声を上ずらせながらも起きたことを語った。二日前、崖の上で猟銃の発砲音が聞こえたこと。夫やほかの村人たちがホスエを探しに上がっていったが、管理人小屋にも道の上にもいなかったこと。翌日には早くもコンドルが崖の上を舞い、死体のありかを知らせたこと。

「自殺だ」動揺した口調でルイス・アルフレド氏が言った。

「いいえ、そうは思いません。先週、彼と話しましたが、具合が悪そうにも、悲しそうにも全然見えませんでした」

「そうか」

「それに、長靴が必要だからブエナベントゥーラに買いに行くつもりだとまで言っていました」

「そうか」

「それにわたしの夫が言うには、突然倒れて猟銃が暴発したということでした。遺体は山のなかにあり、すごく奇妙な姿勢でした」

「おまえの夫?」

「はい」

「おまえはもう、三十三歳だったな」

再び、恐ろしいほどの沈黙が訪れたあと、ダマリスは謝罪するように返事をした。

「はい、そうです」

ルイス・アルフレド氏はため息をついた。それから管理人の不幸を悔やみ、電話の礼を述べたあと、地所の面倒を見てくれないかとダマリスに訊ねた。

「わたしたちにとってあそこがどれほど大切か、おまえはわかってるな」

「はい」

「おまえの給料と、必要経費は送る」

それは嘘だとわかっていたが、信じているふりをして、何にでも「はい」と言った。レジェス夫妻に借りを返さなければという気持ちもあったが、また崖の上で住めると思うと心が弾んだ。自分にとっての家はあそこだと、いつも思っていた。

ロヘリオを説得するのは難しくなかった。崖の上に住めば家賃を払わなくて済むし、管理人小屋がいくらちっぽけといっても、村で借りている部屋より広い。それに自分たちで手を入れることもできる。食べていくには、これまで通りの仕事を続ける必要があるだろう。彼は山で狩り、〈凪と潮〉号で漁をして、彼女はロサ夫人の家で家事をする。ロサ夫人の夫、ヘネ氏はそのころ体が弱って車椅子生活を送っており、ダマリスはかつてないほど必要とされていた。

たったひとつ、気に入らないのは、レジェス家の地所に電気が引かれていないことだった。だがそれも、向かいの家のロサ夫人が、変圧器に延長ケーブルをつなぐ許可をくれたので問題なくなった。ふたりは下の村から家財道具を運び上げた。古いブラウン管テレビ、使わないガスコンロ、ヒルマおばがくれたベッドとシーツ。村の借間では収まりの悪かった家具が、管理人小屋にはよく調和した。

　レジェス家の地所での仕事は煩雑なものではなかった。洗濯や掃除に使う洗剤などは、いずれにせよ管理人小屋にも必要なので自腹で買い、プールは空の状態にしておいて、雨が降ったら掃除した。山に落ちているもので堆肥を作って植物を育て、ロヘリオは漁に出たときに余ったガソリンを草刈り機の燃料にした。お屋敷はペンキを塗りなおす必要があり、ひびの入ったボードを二枚ほど取り換えなければならなかった。歩道は少し厄介だった。敷いてあった木材がところどころ腐食していたからだ。だがふたりはすべてをきれいに保ち、よく手入れした。もしレジェス夫妻が来ることがあっても、何の不満もないだろうというくらいに。

いつか夫妻は息子の死んだ場所へ帰ってくると、レジェス家で働いていた管理人たちは信じていた。だから気候やジャングル、硝石、年月の流れといった諸条件が許す限り、家を、特に亡くなったニコラシートの部屋を、在りし日のままの姿にとどめようと努力していた。

お屋敷はどれほど過酷な条件にも耐えられるように造られていた。アルミボードは錆びつかず、床材として使われているブラジリアンチェリーは非常にきめ細かいので、ゾウムシやシロアリがつかない。土台と高床の基礎には強度を増した特殊コンクリートの混合物が使われていた。広いスペースに合成素材の家具をしつらえた、外観より実用を重視した家だ。きれいに飾りつけてあるのは亡くなったニコラシートの部屋だけだった。ベッドと洋服ダンスは村いちばんの大工に注文し、エルビラ夫人自ら鮮やかな色のペンキを塗ったもの。ボゴタから取り寄せたカーテンと寝具は揃いで、『ジャングル・ブック』の絵が描かれている。年月とともに少し色あせ、いくつか穴が空いていたが、ほんの小さなほころびで、遠くから見たら気づかない。タンスのなかには、ナフタリンの玉に埋もれるようにして、ニコラシートの衣類があった。Tシャツが数枚、ズボンが数本、水着が二着、運動靴が一足とサンダル。ニコラシートが父親と一緒にネグリト川に釣りに出かけたときに持ち帰った貝殻が挟まって、扉は開いたままになっていた。おもちゃは、やはりエルビラ夫人がペンキを塗った木製の大きな箱に入っていた。変わらない姿をとどめているのはプラスチックか木でできたもので、金属が使われているものは何年も前に錆びていた。

雌犬の育て方について、ロヘリオの言ったことは正しいと、ダマリスは思った。管理人小屋やお屋敷のなかで自分と一緒にいることに慣れさせてはいけない。お屋敷では、掃除をしたりワックスがけをしたりして長時間過ごすから、犬が何か壊すかもしれない。ニコラシートの貝殻、おもちゃ、運動靴。最悪の場合は、エルビラ夫人が色を塗った家具も危ない。

かわいそう、ごめんねと思いながら、ダマリスは雌犬を小屋から出し、その後は特殊コンクリートの杭で地面から持ち上げたお屋敷にも、普通の木の杭の管理人小屋にも、自分のあとをついて上がってくることを許さなかった。だが、ほかの犬たちのように家の床下で寝起きさせることもしなかった。雌犬にはあずまやの一隅に居場所を与えた。そこなら雨に濡れることもないし、ほかの犬たちは入らないようしつけられているからだった。

その日はヒルマおばの誕生日だった。ダマリスはおばを訪ねるために朝早く、ブエナベントゥーラからの始発の小型船が着く前に家を出た。年の半ばのハイシーズンが始まる日で、船が桟橋に着き、観光客がこぞっていいホテルのある隣村へと向かい出す前に移動したかった。

前夜はせいぜい霧雨が降った程度で、夜明けから晴れ上がり、海は青くてとても静かだった。珍しいほどに雲がなく、空が鮮やかな青に染まって、灼熱の太陽が照りつける日になりそうだ。エロディアさんの家の前に差し掛かると、なかから当人が出てきて手招きした。モーテルでは彼女の娘たちがテーブルの準備をしてクロスを広げている。エプロン姿のエロディアさんが、魚をさばくのに使う包丁を持ったまま言った。

「ヒメナの犬が死んだよ」

ダマリスは当惑して訊ねた。

「どうして？」

「毒に当たったそうだ」

「母犬と同じね」

エロディアさんはうなずいた。

「もう、残っているのはあんたの犬とうちのだけになったよ」

犬たちは生後六か月になっていた。エロディアさんの雄犬はモーテルの外の浜辺に寝そべっている。母犬が日中、過ごしていたところだ。大きさはダマリスの犬と同じ、中くらいだが、似ているところはそれだけ。雄犬のほうは耳がぴんととがっていて、黒く長い毛がぼさぼさしている。一方雌犬の耳は今も垂れたままで、灰色の毛は相変わらず短い。二匹が同腹の子だとはだれも思わないだろう。ダマリスは家に帰って雌犬を抱きしめ、無事だと確かめたい衝動に駆られたが、今日はヒルマおばの誕生日だ。やむを得ず隣村へと向かった。

脳溢血を起こしてからというもの、ヒルマおばは体が動きにくくなり、常に揺り椅子に座って日々を過ごしている。移動のときは、居間から廊下を通って玄関まで、そして玄関から廊下を通って居間まで、家族が椅子を動かすのだ。夜はルスミラの娘ふたり、孫娘ふたりと眠る。ルスミラの長女の夫はブエナベントゥーラで働いていて、たまの週末に帰ってきた。ルスミラとその夫は別の部屋で眠る。彼は建設業で働き、彼女は服や香水、化粧品、縮毛矯正液、台所用品など、カタログ商品の販売をしていた。暮らしはまずまずだった。家は小さいがレンガ造りで、木でできた楕円形のダイニングテーブル、居間には花柄の布を張ったソファがふたつと、家具もそろっている。

皆でアロス・コン・カマロネス〔エビ入り炊き込みご飯〕の昼食をとり、ハッピーバースデーを歌い、ブエナベントゥーラで調達した青い生クリームのケーキを平らげた。ひいおばあちゃんにと、子どもたちがプレゼントを渡すと、ヒルマおばのほほを涙が滑り落ちた。ダマリスは彼女の背中に腕を回し、しばらく撫でてやった。すると子どもたちは、ダマリスおばちゃんと遊びたいと言い出し、足によじ登ったり腕にぶら下がったりした。太陽は中天にかかり、ドアとすべての窓が開いているものの、風はそよとも吹き込まない。ルスミラとその娘たちは雑誌をうちわ代わりにして扇ぎ、ヒルマおばは椅子の上でゆっくりと体を揺らし、子どもたちはダマリスにまとわりついて飛び跳ねている。ダマリスはだんだん息切れしてきた。

「もうだめよ」ダマリスは子どもたちに言う。「お願い、やめて」

だが言うことを聞かないので、ルスミラが大声で叱り、子どもたちを部屋に行かせた。

午後になり、自分の村に帰る途中で、ダマリスは手工芸品の店の前を通った。辺りにはまだ、桟橋に着いた船から徒歩かバイクタクシーでこちらの村へ入ってくる旅行者がいて、そういう人たちは一様に荷物を肩に担ぎ、汗を流して疲れた表情を浮かべている。だが大半の観光客はすでにホテルにチェックインしており、そのうち多くが散歩に出て、先住民が地面に広げた色あせたシーツの上の、グエレゲという椰子の繊維で編んだ花瓶やひょうたん型のバッグと帽子をひやかしている。人ごみを縫って歩くのは一苦労だった。

一瞬、動きが取れなくなって立ち止まったのが、ヒメナの店の前だった。先住民の露店よりはずっと上等で、地面から杭で持ち上げた小屋にプラスチックの屋根が載り、青いビロードをかぶせた厚板の上に商品が並べてある。売り物はブレスレット、ネックレス、指輪、イヤリング、編んだ布製の腕輪、ライスペーパーとマリファナ吸引用のパイプ。ダマリスと目が合うと、ヒメナは立ち上がり、話しかけてきた。

「うちの子犬、殺されちゃったの」

ふたりが口をきくのはこれが初めてだった。

「エロディアさんから聞いたわ」

「近所のやつらよ、くそったれどもめ」

だれのことを指しているのかは知らないが、近所の人を悪く言うのは聞いていて気持ちのいいものではなかった。と同時に、ダマリスはヒメナに哀れみも覚えた。こちらまで漂うマリファナのにおい、煙草でしゃがれた声、シミとしわの目立つ肌。長い髪を黒く染めているが、根元を見ると、もう真っ白だということがわかる。ヒメナの話では数週間前、柵を抜けて家の敷地に入ってきた近所のメンドリを、彼女の犬が殺してしまったのだという。その後、犬は人知れず死んでいるのが見つかった。ヒメナが近所の人の仕業だとする根拠はメンドリの話だけで、そもそも犬が本当に毒死したかどうか、確かめてもいないかもしれない。たとえば蛇にやられたとか病死とか、ほかの原因があったのかもしれないとダマリスは思った。それなのにヒメナがこれほど隣人に対して怒っているのは、そうしなければ悲しみに浸り込んでしまうからなのかもしれない。

「あたし、雌犬がほしかったんだ」ヒメナは打ち明けた。「でもエロディアさんは、あんたがもらっていったのが、あのとき生まれたなかで唯一の雌だったって。だからあたしはあの子をもらったのよ。小っちゃくてね。どんなだったか、覚えてる？　あたしのシモンちゃんは、手のなかにすっぽり収まったんだよ」

家に着き、雌犬を見てうれしくなった。犬もダマリスを見てうれしそうだった。時間をかけてゆっくり撫でてやっているうちに、ふと自分の手を見て、垢で汚れたことに気づいた。お風呂に入れよう。まだ日差しは強く、長時間歩いてきた彼女自身もほてりと汗を洗い流す必要があった。洗濯盥のそばで、ブラシと洗濯用の青い石鹸を使って洗ってやったが、水を忌み嫌う雌犬にとっては災難にほかならず、しっぽをまいて、うなだれていた。

苦行を終えた雌犬が残照を浴びて体を乾かしている間に、ダマリスは水につけておいた下着を洗い、自分も入浴した。管理人小屋にシャワーはないので、犬と同様、入浴はいつも盥のある洗濯場でする。服を着たまま、ひょうたんで作った容器で水を浴びるのだ。夕景は壮観だった。空は火事のように真っ赤、海は紫色に染まっている。あずまやのなかにある小さな物干しラックに下着をかけ、体を洗われたせいでまだ不機嫌そうな犬を寝床に入れたときには、もう暗くなってきていた。犬の寝床は二つ折りにしたマットレスで、古いタオルをかけていた。

夜になっても雨は降らなかったが、クラビートがうるさいので、管理人小屋のドアとすべての窓を閉め切らなければならなかった。クラビートというのは小さな蚊で、刺されると針のようにちくっと痛い。ロヘリオは古くていびつになった鍋を取りに、床下に行った。戻ってきてココナッツの梳きくずを鍋につめ、火をつけた。梳きくずが燃えはじめると、クラビートはしばらくいなくなるが、煙が少しでも薄まってくれば、群れを成して戻ってくるので、ふたりは布巾を振って絶えず追い払わなければならなかった。落ち着いて連続ドラマを見ることもできなかった。ひどい暑さで、ロヘリオの脇の下には汗染みが広がり、ダマリスのもみあげからはツーッと汗がしたたり落ちていた。

「雨は降らないってことなの？」布巾をバタバタと振りながらダマリスは愚痴った。

ロヘリオは答えず、ベッドに行ってしまった。ダマリスはテレビを見つづけていた。この暑さのなか、クラビートに悩まされながらでは、眠れないとわかっていたからだ。

真夜中過ぎ、テレビショッピングをやっているときに突然すぐ近くで稲妻が光り、一瞬、すべてを照らし出した。ダマリスは驚いてびくっとし、電気が消えて稲妻と雷鳴を伴ったすさまじい雨が降り出した。管理人小屋の屋根の上でバケツの水を立て続けにひっくり返しているんじゃないかと思うほどの雨音だ。だがおかげで空気がひんやりして、クラビートもいなくなった。犬があずまやの屋根の下の安全な場所にいるとわかっているダマリスは、自分も眠ることにした。

　翌朝もまだ雨は激しく降っていた。前夜遅かったダマリスは、起きるのも遅かった。床は冷たく湿っていて、昨夜ココナッツの梳きくずを燃やした鍋は、居間の真ん中で雨漏りを受ける容器になっていた。停電はまだ解消されておらず、消えたテレビの前でロヘリオがプラスチックの椅子に座りコーヒーを飲んでいた。あずまやで入れてきたに違いない。

「あの雌犬、昨夜ひどいことをやらかしたぞ」

　ダマリスは震えあがった。犬がしでかしたことを想像したからではなく、自分がいない隙にロヘリオが罰を与えたに違いないと思ったからだ。

「あの子に何をしたの？」

「おれは何もしてないよ。あの犬が、おまえのブラジャーをめちゃくちゃにしたんだ」

　ダマリスは小屋から飛び出した。海も、島々も、村も何も見えない。見えるのはただ雨、薄絹の幕を下ろしたように遠くの景色を白くけぶらせ、屋根や歩道や地所の階段を小川のようになって流れる雨だけ。ダマリスはずぶぬれになってあずまやに着いた。昨夜小さなラックに干しておいた彼女のショーツとロヘリオのパンツはそのままかかっている。ブラジャー三枚だけが地面に落ち、ずたずたになっていた。雌犬は申し訳なさそうにおどおどとしっぽを揺らしているが、元気そうだった。ダマリスは頭からしっぽまで調べ、どこも傷ついていないことに心底ほっとしたので、叱る代わりに抱きしめて、大丈夫よ、言いたいことはわかった、もう絶対お風呂になんて入れないからねと犬に話しかけた。

その後も溺愛を続けたが、雌犬はある日、山に迷い込んでしまった。ダマリスがひとりでいた夜のことだ。ロヘリオは〈風と潮〉号で漁に出ていた。ダンジェルとオリボとモスコはあずまやの外でエサを食べ終わり、ダマリスは小屋に戻る前の「おやすみ」代わりに雌犬の頭を撫でていた。そのときだった。突然、ダンジェルが山に向かって吠えはじめたのだ。あとの二匹は警戒姿勢をとり、雌犬はあずまやから出て数メートル前へ進んで、ダンジェルのそばで立ち止まった。犬たちが吠える方角には家もなければ人もいない。だからフクロネズミかハリネズミ、道に迷うか病気になるかしたペッカリーなど、何か動物がいるのだろうとダマリスは思った。月のない晩で辺りは真っ暗、唯一の明かりはあずまやにぽつんとともる電球だった。遠くのほうは何も見えず、何も聞こえないが、犬たちはどんどん興奮してきて、毛を逆立て、強く吠えている。

ダマリスは雌犬を落ち着かせ、自分のそばに戻ってこさせようと名前を呼んだ。「チルリ！」従妹にからかわれた名前を呼ぶのは抵抗があったが、このときだけは羞恥を感じず叫んだ。「チーーーールリーーーー！」だがそのとき、ダンジェルが走り出し、ほかの犬があとに続いた。ダマリスの雌犬までもが、一緒に山に入っていった。

ダマリスは犬たちが吠えながら雑木林のなかで動いている音を聞いた。あそこには蛇がいるかもしれない。特に夜行性で気性が激しく非常に強い毒を持つ蛇、マルティニクランスヘッドはきっといる。裸足のダマリスにできるのは、あずまやのなかから犬たちの名を呼びつづけることだけだった。ときに狂おしく、ときに優しく、またときには感情を抑えたり、懇願するように叫んでみたりしたが、何の反応もなかった。やがてシーンと静まり返り、もう吠える声も何も聞こえなくなった。ダマリスの前には、獲物を食い尽くしたばかりのけだもののような、静かなジャングルが広がっているだけだった。

ダマリスは小屋に戻り、長靴を履き山刀と懐中電灯をつかんで、犬たちが歩いていった道をたどり山へと入っていった。こういうジャングルのなかで普段怖いと感じるものに対しては、一瞬たりとも恐怖を覚えなかった。暗闇、マルティニクランスヘッド、猛獣、死者たち。ニコラシート、ホスエ、ヘネ氏、それにダマリスが子どものころに亡くなった人たちの幽霊……。そんな自分の勇気に驚くこともなかった。あの子が危険にさらされている、助けてあげなくちゃ。頭にあったのはただそれだけだった。

闇のなかで迷わないため、雑木林から離れすぎないよう気をつけながら歩いていった。懐中電灯で四方八方を照らし、わざと物音を立て、雌犬を、そしてダンジェル、オリボ、モスコを呼びつづけた。だけど一匹も戻らず、何も起こらなかったので、別の場所も探すことにした。まず、レジェス家の地所と隣家の境界にある渓流まで行ってみた。それから本道に沿って作られた柵、崖のほうにも。そちらの方角には一本しかない道を進み、突き当たりにあるミルペソス椰子の林まで行った。

何も見えず、ただ懐中電灯が照らす先に何かの断片が浮かび上がるだけ。うっそうと茂る葉、苔に覆われた木の若枝、目玉のような模様がびっしり入った羽を持つ巨大な蛾が光に驚いて飛び立ち、怯えたように、ダマリスの頭の周りで羽ばたく……。長靴は根に引っ掛かり、泥に沈み、つまずき、滑り、倒れまいと手をついたところは、固かったり、濡れていたり、筋張っていたりした。ざらざらしていたり、毛むくじゃらだったり、とげが生えているものにも手が触れて、蜘蛛か木の上に住む蛇、それとも吸血コウモリかもしれないと思い飛び上がったが、嚙まれることはなかった。蚊には刺されたが、気にせず闇のなかで探しつづけた。べとべとした暑さが、まるで地衣類のように肌に張りついてくるのを感じる。隣村のディスコの音楽みたいに耐えがたいカエルや虫の大合唱は、ジャングルのなかではなく頭のなかで鳴っているように思えた。そのうち懐中電灯の光が弱くなってきたので、電池が切れる前に引き返すしかなくなった。ダマリスは打ちひしがれ、泣きながら小屋へと戻った。

帰るとすぐに眠ったが、少しも休息にならなかった。騒音と影の夢を見た。彼女はベッドで目覚めているが、動くことができず、何者かが襲ってくる。その正体は小屋に入り込んできたジャングルで、彼女を包み込み、地衣類で覆い、耐えがたいほどの虫の騒音で耳を聾し、やがて彼女自身がジャングルとなり、木の幹に、苔に、泥になり、それらすべてが同時に起こり、そしてそこで雌犬と出会う。犬が挨拶代わりに顔を舐めてくる。だが本当に目が覚めたとき、彼女はまだ独りぼっちだった。外は激しい嵐になっていて、風が屋根をたたき、雷鳴が大地を揺るがし、隙間から入り込んだ雨が強風にあおられ小屋のなかを漂っていた。

ロヘリオを思った。この猛り狂う嵐のなかでみすぼらしい舟の上にいる夫、身を守る道具といえば救命胴衣とレインコートにビニールシートだけ。だがそれよりも、雌犬のほうが心配だった。山のなかでずぶぬれで、寒さに凍え、死ぬほど怯え、助け出してくれる飼い主もいない。ダマリスはまた泣き出した。

翌日、朝も遅くなってから雨が上がり、ダマリスは犬を探しに出た。昼間なのに暗くて涼しく、大雨が降ったためにそこらじゅう水浸しになっていた。水をかき分けて歩き、昨夜行った場所へ戻ってみたが、土砂降りの雨が足跡を消し去っていた。本道もほかと同様に水浸しで足跡は残っていなかったが、それでもと、端から端まで歩き回った。次に近所を訪ねて犬たちがいなくなったことを知らせ、気をつけておいてほしいと頼んだ。エンジニアの家を管理しているのは地元の人たちで、犬のことにはあまり関心を払わなかった。一方、飼い犬のラブラドールを熱愛しているトゥルア姉妹はダマリスに同情し、昼食に招いてくれた。

午後はロサ夫人の地所に行ってみた。ヘネ氏が亡くなり、夫人の認知機能が悪化してからというもの、ここは空き家になっている。以前から夫人は、人の名前を忘れ、物を失くし、化粧したことを忘れて二重にアイシャドウや口紅を塗ったり、携帯電話を冷凍庫に入れたりして周囲の笑いを誘ってはいたが、ヘネ氏の死後、症状が深刻化した。今が何年かわからず、自分はまだ独身でカリに住んでいると思っていて、国歌が流れると踊り出したりした。あるいは今、夫と一緒に崖の上に来たばかりで、家の建築資材の到着を待っているところだと思い込んでいるときもあった。自宅の敷地内で迷うようになり、口をぽかんと開けて長い時間どこかをぼんやり見つめていたり、壁と話したりするようになり、やがてほとんど毎日晩酌するほど好きだったアグアルディエンテ〔蒸留酒〕も飲むのを忘れてしまった。

子どもはいないので、姪がやってきてすべて取り仕切った。夫人をカリの老人ホームに入れ、土地を売りに出した。売れるまでは、夫人がやっていたように、姪が管理費用としてダマリスとロヘリオに給与を支払ってくれている。彼は庭仕事や修理を引き受け、彼女は家の掃除をした。

崖の上にやってきて以来、雌犬は毎週、ダマリスのあとをついてロサ夫人の地所に行っていた。それで突然、犬は一番お気に入りの場所、裏庭のコンクリートの板の上にいるかもしれないとひらめいた。そこはどんな天気のときも、冷たくて乾いていた。

だが犬はそこにも、崖の上で最も広いロサ夫人の地所内のどこにもいなかった。ダマリスはくまなく調べた。家、庭、入り口の階段、長い崖線、渓流に続く小道。渓流は大雨のせいで激流となり、故ヘネ氏が築いた擁壁を超えて水があふれだしていた。

二日目も太陽は顔を見せず、午前中は激しい雨が降った。ダマリスは昼食を終えてから出かけた。雨はごく弱い霧雨になっていて、目に見えず肌に当たる感じもないが、外に出ればじっとりと体が濡れた。猟師や木こりしか使わない脇道を歩き回ったが、犬たちの痕跡はどこにもなかった。午後も半ばになって雨が上がったが、雲の切れ間はなく、薄暗くて寒いままだった。

帰り道で、アリの大群に出会った。数えきれないほどのアリが軍隊のようにジャングルのなかを行進していた。中くらいの体格の黒アリで、巣穴から出ては行く手に現れる虫をどんどんなぎ倒していく。生きていようが死んでいようがお構いなしだ。走って追い越そうとしたが、何匹ものアリが体を這い上ってきて、振り払おうとしている間に手や脚を嚙まれてしまった。嚙まれると火のように熱くなるが、痛みはすぐに消え去り、腫れも残らなかった。

小屋に帰り着いて十五分後、アリたちが侵攻してきた。ダマリスがプラスチックの椅子に上って脚をすくめている間、アリたちはゴキブリを隠れ家から追い出して運び去るという掃討作戦を遂行していた。二時間後にはアリもゴキブリも、影も形もなくなっていた。

その夜は気温が下がり、タオルにくるまらなければならないほどだった。

小屋のなかでは、タオルが一番分厚い布だ。だが雨は降らなかった。三日目、太陽が雲を突き破って光を届かせ、空と海は色彩に満ちて、暑くなってきた。ダマリスが出かけようとしたときにちょうどロヘリオが帰ってきて、ほんの数分あとに山際から犬たちも戻ってきた。汚れて疲れ果て、少し痩せている。ダマリスは胸が熱くなったが、次の瞬間、ダンジェル、オリボとモスコしかいないことに気づいてわっと泣き出した。

沖合での五日にわたる漁から帰ってきたばかりのロヘリオは、空腹で疲れてはいたが、ダマリスのあとに続いて山へ入った。本道で三匹がいた形跡を見つけてあとをたどり、崖の突き当たりが入り江になっているところに着いた。ラ・デスペンサと呼ばれている場所で、犬たちはここを泳いで渡ったに違いない。雌犬の足跡は全くなかった。

ロヘリオはダマリスと一緒に毎日捜索を続けた。ラ・デスペンサと魚の養殖場を越え、海軍の敷地内に入り込んだ。通行が禁じられているところだ。

うっそうとしたジャングルで闇が濃く、謎めいた雰囲気が漂っている。ダマリスを三人合わせたほど太い幹を持つ木々が生え、落ち葉が厚く降り積もっていて、しばしば長靴が半分沈み込んだ。

昼食後に家を出て、夕方か夜に死ぬほど疲れ、汗だくで帰ってくる日が続いた。動き回って体が痛み、パンパスグラスに触れて皮膚が切れ、虫に刺され、まさに満身創痍だ。雨が降ったらずぶぬれになった。

ある日ダマリスは、ロヘリオに強制されたわけでも、やる気をなくすようなことを言われたわけでもなく、ただごく自然に、もう絶対に雌犬は見つからないだろうと悟った。そのときふたりがいたのは地面にぽっかり大きな穴が開き、海の水が入り込んでいるところだった。高潮で、波は岩に激しくぶつかって砕け、高く上がった水しぶきがはねかかってくる。ロヘリオが話している。できるだけ潮が引くのを待ってから入り江を渡ろう、それから穴に下りて、滑らないように気をつけながら向こう側の岩の壁を登るんだ、岩は地衣類に覆われているからな。だがダマリスは聞いていなかった。心はニコラシートが死んだときと場所に戻っていて、苦悩のあまり目を閉じた。ロヘリオは話しつづけている。山刀で道を切り開きながら穴を迂回する手もあるが、問題は、あちら側にはとげの生えた椰子の木が山のようにあることだ。するとダマリスは目を開けて、彼の言葉を遮り、言った。

「雌犬は死んだわ」

ロヘリオはわけがわからないという顔でダマリスを見た。

「このジャングルは恐ろしいところだから」ダマリスは理由を言った。

こういう断崖はいたるところにある。地衣類で覆われた岩、ニコラシートを連れ去ったような波、嵐のときには巨木が根こそぎ倒され、雷で真っ二つに割れ、土砂は崩れる。毒蛇、鹿をも丸呑みにする蛇、動物の血を搾り取るコウモリ、足を貫通するほどに鋭いとげを持つ植物、土砂降りのときには水量が上がり、川筋にあるものすべてをなぎ倒していく渓流……。それだけではなく、雌犬がいなくなってすでに二十日が過ぎていた。あまりにも長い時間だ。

「家に帰りましょう」このときだけは泣かずに、ダマリスは言った。

ロヘリオが近づき、感極まったように彼女を見て、肩に手を置いた。その夜、まるで十年もしていなかったのが嘘のように、帰るとすぐにふたりは性交した。ダマリスは突然、今度こそ妊娠するわと甘い期待を抱いたが、翌朝、そんな自分を嗤った。すでに四十歳、女が乾く年齢(とし)なのだ。

おじがそう言ったのは、村で二階建ての家に住んでいたころによく催したパーティでのことだった。酔っぱらってシャツを脱いだおじが、漁師たちの一団と家の外に座っていたとき、目の前を村の女が通り過ぎた。背の高い女で、誇らしげに尻を振って歩き、ストレートにした髪が背中の半分まで届いていた。ダマリスがいつもあこがれていた女性だ。漁師たちは皆、彼女を目で追い、おじは酒を一口飲んだ。

「まだいい女だよな」おじが言った。「もう四十にはなってるに違いないのに。四十といえば、女が乾く年齢だよ」

《わたしはずっと乾いてた》ダマリスは今、苦々しく思う。

それから数日間は、彼女とロヘリオは気持ちが通い合っていた。彼女はお昼のドラマのあらすじを話し、彼は狩りや釣りをしたり草刈りをしたりしながら見たこと、考えたことを話した。ふたりで思い出話をして笑い合い、ニュースや夜のドラマについて意見を言い合い、そして最初のころ、彼女がまだ十八で不妊の苦しみなど知らなかったころのように、ベッドを共にした。

ある朝、あずまやで朝食の用意をしているとき、ダマリスは手を滑らせて揃いのカップのひとつを割ってしまった。この前ロヘリオがブエナベントゥーラに行ったときに買ってきたものだ。

「二か月と保たなかったな」むっとしてロヘリオが言った。「おまえはほんとに手先が不器用だ」

ダマリスは何も言わなかったが、その夜、テレビを消して彼が近づいてくると彼女はひらりと体をかわし、ひとりで眠るのに使う部屋に入った。ダマリスはそのまま長いこと、自分の手を見ていた。大きな手だ。指は平べったく、シミができてがさがさになった手のひらには、地面に入った亀裂のように手相がくっきりと刻まれている。男の手だ。建築現場の作業員、大魚を引き上げる力を持った漁師の手。翌日はふたりとも「おはよう」さえ言わず、それからまた距離を置くようになり、お互いに顔も見ず、別の部屋で眠り、必要なことしか話さなくなった。

ダマリスはもう雌犬を思って泣くことはなくなったが、その不在は石のように重く、胸にのしかかっていた。四六時中、ずっと恋しかった。村から帰ってきたとき、犬が階段の上でしっぽを振って待っていてくれることはなく、魚の味つけをしているとき、どこからか現れてじっと見られることもない。もう残飯の一番いいところをとっておいてやる必要もないし、朝のコーヒーを飲みながら、頭を撫でる相手もいない。何かを雌犬と見間違うことはしょっちゅうだ。ロヘリオが小屋にもたせかけておいたココナッツの包み、あずまやの隅に片づけた船のもやい綱、かまどの脇に置いた新しい薪の束、ほかの犬たち、庭の植物、午後の木々の影、いなくなったときのままにしているあずまやの寝床。寝床を捨てるほどには、ダマリスはまだ冷静になれていなかった。

ハイメさんはまるで親族が亡くなったかのように気の毒がった。真摯に気持ちを慮ってくれたことにダマリスは感謝した。エロディアさんにはいなくなった顚末を語り、逃がしてしまったのは自分のせいだ、探すのはやめた、もう期待はしていないと言った。エロディアさんは黙って聞き、それから、人生をあきらめたかのようにため息をついた。生まれたときは十一匹いた子犬たちのうち、今残っているのはエロディアさんの一匹のみで、その一匹を見るのがつらいから、ダマリスは隣村に行くときモーテルの前を避けて通るようになった。

今、絶対に聞きたくないのはルスミラのネガティブな意見だ。だから彼女の家族のだれにも、ヒルマおばにさえも、何も知らせなかった。だがいずれにせよ、ルスミラは知ってしまった。ある日の午後、ロヘリオが漁の帰りにルスミラの夫と漁業組合でばったり出会い、黙っているのも気まずいからと、雌犬がいなくなったこと、必死で探したことなどを全部話したのだ。その夜、ダマリスの携帯電話にルスミラがかけてきた。

「だからああいう動物は好かないのよ」ルスミラが言った。

山で迷子になるかもしれないから好かないのか、それとも死んでしまうからか、ダマリスにはわからなかったが、説明を求める代わりに、今週、父親と話したかと彼女に訊いた。

へネ氏の死は謎に満ちていた。彼の身に何が起きたか、海でどうやって命を落としたのか、だれも知らなかった。当時はすでに病気のためほぼ全身が麻痺していて、かろうじて指を動かせるだけだった。大多数の人が、彼は断崖から車椅子ごと身を投げたのだと考えていたが、ダマリスとロへリオはそれが不可能だと知っていた。車椅子のモーターはそんなことができるほどの馬力はなく、試みたところで、崖の縁に生えているココプラムの茂みに引っ掛かるだけだっただろう。以前、きちんと止まれず茂みに突っ込み、ロへリオが腕に抱えて救い出さなければならなかったときのように。自殺説のほかに、ロサ夫人が車椅子を押したという説もあり、動機は夫を憐れんでのことだという人もいれば、邪魔だったからだという人もいた。

ロサ夫人が押したというのはありうると、ロヘリオは思っていた。当時すでに、彼女は精神状態が不安定になっていたからだ。ダマリスの考えは違っていた。おかしくなっていたのは事実だが、どれだけぼんやりしていても、彼女がやったはずはない。アカネズミが造りつけの食器棚に巣をこしらえても、バッタが衣類に穴を開けても、夜間、コウモリと見まがうほど大きな蛾にびっくりさせられても、駆除しようとはしなかったロサ夫人だ。まして夫を殺すはずがない。

いずれにせよ、ヘネ氏が車椅子ごといなくなり、崖の上のどこを探しても見つからなかったとき、もう地面の上にはいないに違いないと最初に言い出したのはロヘリオだった。探すのを手伝っていた村の男たちは、何を言っているのかという顔をした。

「もしここ、崖の上にいれば」ロヘリオは空を見ながら言った。「今ごろ、コンドルでいっぱいのはずだ」

あまりにもわかりやすい理屈だったので、男たちが顔を見合わせて「どうしておれたち、そのことを考えなかったんだろ」とこぼすほどだった。ダマリスは夫を誇らしく感じた。

海から引き上げられ、浜辺に運ばれてきたばかりのヘネ氏の遺体をダマリスは見た。ただでさえ肌の色の白い人だったが、遺体はそれまで見たことのないほど真っ白だった。ところどころオレンジのように皮がめくれ、手足の指は生き物に食われ、眼窩は空洞で腹が膨れ、口は開いていた。ダマリスはそのなかを見た。舌がなく、黒い水がのどまで上がってきていた。腐敗臭がして、いつ腹から魚が上がってきても、あるいはつる植物が芽を出してもおかしくないとダマリスは思った。

行方知れずになっていたのは二十一日間。海が遺体を返すのにかかった時間としては、ニコラシートに次いで二番目に長かった。

雌犬が姿を現したのは、もうだれもその消息についてダマリスに話題を振らなくなったころだった。その日ダマリスは、夜の間漁師たちが待機させていた小型船が入り江を通って外海に出ていくときの騒々しい音で早朝に目覚めた。曇り空だが雨は降らず、食べるものが魚一匹しかないことを彼女は気にしていた。あずまやへ行こうと小屋のドアを開けるとすぐ、庭に、ココ椰子の木のそばに、雌犬がいるのを見た。最初はまた何かを見間違えたのだと思ったが、そうではない、今度は本当に雌犬だ。がりがりに痩せて、全身泥だらけだった。

小屋の階段を下りた。雌犬がしっぽを振りはじめ、ダマリスはまた泣いた。

犬に駆け寄り、抱きしめようとかがみ込むと、ひどいにおいがした。よく見るとダニが湧いていて耳は切れ、後ろ脚には深い傷ができて、あばら骨が浮き出ていた。ダマリスはしげしげと見入った。戻ってきたなんて、しかもこんなに長く山のなかにいたというのに、これだけの状態で済んでいるなんて、とても信じられない。三十三日経っていた。ヘネ氏が行方知れずだった期間より十二日長く、ニコラシートよりたった一日短いだけだが、雌犬の場合は海からではなく、ジャングルからだったので生きて帰ってきた。生きていた！　ダマリスは頭のなかで、その言葉を飽くことなく繰り返した。

「生きてるよ！」小屋から出てきたロヘリオに、大声で言った。

犬を見た彼はあっけにとられ、何も言えなかった。

「チルリよ！」ダマリスが言った。

「見えてるよ」とロヘリオ。

近づいてきて頭からしっぽの先まで眺めると、挨拶代わりに背中をポンとたたきさえした。それから猟銃をつかむと、山へ狩りに出かけていった。

ダマリスは雌犬をきれいにしてやり、アルコールで傷口を消毒して、魚の煮込みに頭までつけて食べさせた。これでダマリスが食べるものはなくなった。それから村に下り、恥を忍んで、ハイメさんにお金を貸してほしいと頼んだ。今月はつけの支払いができていなかったから気が引けたが、虫がわかないようにする軟膏〈グサントレックス〉を買いたかったのだ。ハイメさんは何も言わずにお金を貸してくれて、そのうえ、米一ポンドとひな鳥のぶつ切り二切れをつけで売ってくれた。

〈グサントレックス〉はふたつの村では買えないので、ちょうどその日ブエナベントゥーラに行くことになっていたルスミラの長女に買って送ってくれるように頼んだ。従妹が何を思おうと、何を言おうと今のダマリスは気にならなかった。

〈グサントレックス〉はその日の最後の船で届いた。ダマリスはその後の数日間、雌犬の傷口に軟膏を塗り、煮込みで栄養をつけさせて、ひたすら甘やかした。

雌犬は傷が癒え、太ったが、ダマリスは変わらずひ弱なもののように扱い、もう人目もはばからずチルリと呼んで溺愛した。母の日を祝うためにやってきたルスミラの前でさえ、気にすることはなかった。

ルスミラは一家全員を引き連れてきた。夫、娘たち、娘婿、孫娘たち、それにヒルマおばまで。おばは抱えられて階段を上がり、崖の上に着くとお屋敷のバルコニーの長椅子にもたれかかった。皆はあずまやのかまどで鶏のサンコチョを作り、プールに水を満たして泳いだ。「あたしたち、なんて大胆なのかしら」とはだれも言わなかったが、内心ではそう考えているに違いないと、ダマリスは思った。冗談に笑ったり、子どもたちと遊んだりはしたが、楽しくはなかった。レジェス家を占領している自分たちの姿をだれかに見られたら、どう思われるだろうとくよくよ考えた。ヒルマおばはまるで女王様のようにゆったりとバルコニーの長椅子にもたれ、扇子であおいでいる。ロヘリオはプールのそばの別の椅子に寝そべり、ルスミラとその夫はプールサイドに座って瓶入りのアグアルディエンテを飲み、子どもたちは水中でバレエのまねごとをしていた。先に上がったダマリスは、ストレッチ地のショートパンツと、水着や仕事着として使っている古い色あせたブラウス姿で、巨大な尻から水をぽたぽたと垂らしながら小石を敷き詰めたプールサイドを歩く。だれも、自分たちをこの家のオーナーと間違えるはずはないと思った。金持ちの持ち物を使っている、みすぼらしい身なりの貧しい黒人の一団。図々しいやつらだと他人は思うだろう。ダマリスは死んでしまいたくなった。彼女にとって、図々しいということは近親相姦や犯罪と同じくらい恐ろしく、道理に外れたことだからだ。

足を投げ出して地面に座り、あずまやの壁にもたれかかった。雌犬がそばに寝そべり、頭を腿にあずけてくるので、ダマリスは撫でてやった。ルスミラは首を横に振りながらその様子を眺めていたが、やがてロヘリオのそばに行き、酒を勧めながら言った。

「あの子、あんたをベッドから追い出して、代わりに雌犬と寝てるんじゃない？　だって昼食のとき、一番いい肉を犬によそってやってたわよ」

それは大げさだ。ダマリスは確かに、犬にサンコチョを食べさせたが、自分の皿から皮の部分と肉のかけらを分けてやっただけだった。

「今のところは、まだ」ロヘリオは答えた。「でも、いったん山の味を覚えて逃げ出したあの畜生のために、なぜあいつが手間暇かけてやってるのかわからないよ。これからも逃げつづけるよって、おれはあいつに言ってるんだ」

ロヘリオの言う通りだった。雌犬はまた逃げた。ロサ夫人の家に連れて行った日のことだ。ダマリスはいつものように、裏庭に犬を放して家に上がっていった。風を通すために窓とドアを開け、隅にできた蜘蛛の巣と家具の埃を払い、台所と浴室を洗って床を掃き、ワックスがけをして、家じゅうを燻蒸した。そこまでやると手はこわばり、化学薬品のにおいがした。

仕事を終え、家から下りてくると午後の四時ごろになっていた。犬はいなかった。厚い雲が地面を押しつぶしそうなほどに低く垂れ込めている。空気が重く感じられる。この天気に動揺し、雨が降るのを恐れて家に帰ってしまったのだろうとダマリスは思った。

まっすぐ家に帰って雌犬を探した。少し水を飲ませてやりたかった。ほかの犬たちはべろんと舌を出して小屋の下にいた。だが雌犬はいない。どこを探しても見つからなかった。お屋敷の床下、階段、庭、あずまや……。汗が流れ、うだるような暑さに息が詰まる。洗濯場で水を浴びてさっぱりしたいが、犬を見つけることが先決だ。敷地じゅう、大声を出して呼びまわり、山にも少し足を踏み入れてさらに名を呼び、探した。そうしているうちに辺りが暗くなってきて、裸足で明かりもなしに歩くのが難しくなった。ついてない。

家に帰ると洗濯場で体を洗った。心配するというより怒っていた。犬が行ってしまったこと、それも今回はほかの犬につられたのではなく一匹だけで逃げたこと、あんなふうに叫びながら探さなければならなかったこと、不安な思いをさせられていること、そして何より、ロヘリオの言った通りだったこと、犬に逃げ癖がついてしまったかもしれないことに腹が立っていた。だから彼が魚の束を持って漁から帰ってきたときも、何も言わなかったし、犬の不在に気づかれたくないから、夜になって探しに行くこともしなかった。あまりに腹が立っていたので夜の連続ドラマはろくに頭に入らなかったが、ニュース番組のころになって、寝る前にやっぱりちょっと見に行こうと決めた。今日獲ってきた魚がちゃんと保管できているかどうか見てくる、と口実を作って小屋を出た。

雲はどこかに去り、空が澄み渡って涼しい夜だった。海のほうが雷雨になっている。遠すぎて音は聞こえないが、暗い海の上に引っかき傷のような青とオレンジの稲妻が落ちていくのが見える。ふと見ると、犬が戻っていた。自分の寝床にいる。それを見てダマリスはうれしかったが、態度には表さなかった。

「もう、悪い子ね!」犬が立ち上がり、そばに来ようとしたのでダマリスは叱りつけた。

犬はしっぽを丸めてうなだれた。

「今夜は夕飯なしよ」

脅すように言ったものの、すぐに後悔し、雌犬のためにとっておいた残飯を出してやった。

翌朝の雌犬はひどくおとなしく、ダマリスのそばをいっときたりとも離れなかった。ダマリスは雌犬を許し、間違っていたのはロヘリオだ、まだ見込みはあると思うことにした。そこでロヘリオが小型船をつなぐのに使っている綱を取り出し、犬の首にかけて、小舟を固定するときと同じやり方で結んだ。もう一方の端をあずまやの柱につないでから、そばに座って犬がどこかへ行こうとするまで辛抱強く待った。

やがて行こうとして綱を引いたので、ダマリスは落ち着かせるために優しい声を出し、犬にしてほしいことすべてを話しはじめた。まず、もう絶対に逃げないこと、従順な犬に戻ること、山のなかで迷子になった三十三日間の飢えと恐怖を思い出し、ばかなことはせず、あの経験から学ぶこと。ちょうどそのとき、小屋の修理に必要な木材を抱えたロヘリオが山から戻り、この光景を目にしてぎょっとした。

「おまえ、そいつを殺すつもりか?!」

「なんでそんなこと言うの?」

「それは引き解け結びっていうんだ。首が絞まって死ぬぞ!」

ダマリスは慌ててほどこうとしたが、犬がさっき懸命に綱を引いたせいで結び目がきつくなっていて緩まなかった。ロヘリオはダマリスを遠ざけ、犬を押さえつけて伏せさせると、山刀を取り出した。ダマリスは震えあがって止めようとしたが、その前にロヘリオが綱を切り、犬は解放された。

犬が落ち着き、水を飲むのを見届けて、ロヘリオはダマリスにつなぎ方を教えた。逃げないようにするには引き解け結びを使うのもいいが、決して首にかけてはいけない。人間がバッグを斜めがけにするように、綱は犬の肩から胸を通して反対側の前足にかけなければならなかった。

ダマリスは雌犬を一週間つなぎっぱなしにしていた。綱は長いので、犬は太陽の動きに合わせて日陰に移動できるし、排泄するときにはあずまやの周りに生えている草の上まで行ける。水を入れたボウルが空になるたびつぎ足し、エサはつないだ柱のそばで与えていた。夜はこれまでと同様、コウモリに嚙まれないように灯りをつけたままにしておいた。

一週間が過ぎ、綱を解く前にダマリスは雌犬の目を見て言った。「見てるからね」犬は調教されていない仔馬のように走り出した。このまま逃げてしまうだろうとダマリスは思った。だが、そうではなかった。疲れると舌を出してあずまやに戻ってきて、水を飲み、ダマリスのそばで寝そべった。これはいい兆候に見えたが、いずれにせよ、見張りを続けた。目を離さず、遠くに行ったら名前を呼びつづけて戻ってこさせ、夜間や村に出かけるとき、忙しくてかまってやれないときはつないでおいた。

　ところが再び信用し、警戒を緩めた途端、雌犬は脱走した。今度はまる一日と一晩帰ってこず、それからはもう何をやってもだめだった。ひと月丸ごとつないでみても、逆にずっと放し飼いにしても、起きている間はずっと見張っていても、犬のことなど忘れて暮らしても、罰として食事を抜いても、いつもより多く食事を与えても、厳しくしても、愛情で満たしても、結果は同じ。わずかな隙をついて犬は逃げ、何時間か、あるいは何日か、どこかで過ごすのだった。

　ロヘリオは何も言わなかったが、心のなかでは「だから言っただろ」と思っているかもしれないと思うとイライラしてきて、雌犬に対する恨みの気持ちがわいてきた。また脱走したある日のこと、ダマリスはとうとうあずまやの寝床を撤去して、入り江にある、壊れたエンジンオイルの缶やガソリンの樽の捨て場に向けて崖から放り投げた。もう撫でたり、残飯の一番いいところを除けておいてやったりせず、犬がしっぽを振っても無視し、おやすみの挨拶もせず、あずまやの灯りをともしておいてやることすらなくなった。犬がコウモリに嚙まれたときも、血が流れてるぞ、手当てしてやらないのかとロヘリオに言われて初めて気がついたほどだ。鼻に傷があり、血が筋を引いて流れていた。ダマリスは肩をすくめただけで、それまでやっていた朝のコーヒーを濾す作業に戻ったので、ロヘリオが小屋から〈グサントレックス〉を取ってきて犬に塗った。

傷はきれいに治り、それからは夜間にあずまやの灯りがついているかどうか確かめるのはロヘリオの役目になった。だからといってロヘリオが雌犬の世話係を引き受けたわけではないのだが、第三者が現在の状況を見たら、雌犬の飼い主は彼で、動物嫌いなのは彼女のほうだと思っただろう。ダマリスは雌犬の存在そのものがいやになってきた。悪臭を放ち、体を掻いてぶるんと振り、口からよだれをたらし、雨の日にはあずまやの床やプールサイドや庭に点々と泥だらけの足跡を残す。すぐに出て行って、もう戻らないで、マルティニクランスヘッドに噛まれて死んでしまえばいいのにとダマリスは思った。

だが出ていくどころか、犬はおとなしくなり、脱走しなくなった。毎日、ダマリスのそばで過ごすようにもなった。彼女が料理をしたり乾いた洗濯物を畳んだりしているときはあずまやで、お屋敷で片づけをしているときはその床下で、午後の連続ドラマを見ているときは管理人小屋の下で寝そべる。ある日ふと気づくと、ダマリスは以前のように雌犬を撫でていた。

「わたしの犬、なんていい子なのかしら」ロヘリオに聞こえるように言った。「正気に戻ってくれたわ」

午後の終わり、彼女と犬は階段の最上段に座っていた。真正面に見える入り江では、暗い色をした潮がまるで巨大なアナコンダのように音もなく、急激に上昇している。ロヘリオは小屋から持ち出したプラスチックの椅子に座り、キッチンナイフで爪の手入れをしながら言った。

「それはただ、身ごもってるからだろ」

ダマリスは胃を殴りつけられたように感じ、息ができなくなった。嘘だと否定することすらできなかった。一目瞭然だったからだ。犬は乳房が膨らみ、腹が丸く、固くなっていた。それを彼に言われるまで気づかなかったなんて、信じられなかった。

ダマリスの心は悲しみに覆われ、ベッドから起き上がるのも、食事の用意をするのも、食べ物を咀嚼するのも、何もかもひどく手間がかかるようになった。人生は入り江のようなもので、自分にはたまたま、歩いて渡る運命が用意されていたのだと感じた。足が泥に埋まり、腰まで水につかって、ひとり、完全にひとりぼっちで、子どもを産まない体、物を壊すしか能のない体を前に進める運命が。

小屋からほとんど出なかった。閉じこもり、床に置いたマットレスの上でテレビを見ながら過ごす。外では海が膨張したり縮んだりして、雨は世界に降り注ぎ、ジャングルは寄り添うでもなく、ただ脅すように彼女を囲む。夫も寄り添ってはくれず、別の部屋で眠り、どうしたのだと訊きもしない。従妹は来るが、彼女を、ブエナベントゥーラに行ってその後死んだ彼女の母を、そして雌犬を、育ててもらった挙句に飼い主を捨てた雌犬を批判することしかしない。

雌犬を見るのが耐えられない。小屋のドアを開けるたび、どんどん腹が膨らんでいく雌犬が視界に飛び込むのは拷問だった。雌犬は頑固にいつも小屋の前にいて、ダマリスのあとをついてきた。小屋からあずまや、あずまやから洗濯場、洗濯場から小屋へ……。追い払おうと、「あっちへ行って」とか「放っておいて」と言ってみた。手を上げて殴りかかるそぶりさえ見せたが、雌犬は驚いた様子もなくあとをついてくる。おなかに子どもが入っているため、ゆっくりと重い足取りで。

強い雨の降る夜だったが、小屋のなかは暑かった。停電していて暗く、テレビも見られず、居間のなかでは蚊がぶんぶん飛んでいた。ロヘリオがココナッツの梳きくずを集めるのを忘れていたため、追い払うすべもなかった。虫に悩まされたダマリスは、頭から足先までシーツにすっぽりくるまり、窓辺のプラスチックの椅子に座った。雨が降り込んでくるので窓は開けず、通夜に人々が祈る声のような、ざわざわとした雨の音を聞いていた。ロヘリオはレインコートをつけて長靴をはき、おれはあずまやのほうがいい、あそこなら壁はないし、少なくとも雨で湿った空気は涼しいだろうからと言い置いて、小屋を出ていった。それからさほど経たないうちに、ばたんとドアが開いた。レインコートなしでずぶぬれのロヘリオが入ってきて、告げた。

「今、子犬たちが産まれてるぞ！」

ダマリスは窓辺から動かなかった。

「そんなこと、わたしが気にすると思う？」

ロヘリオは首を横に振り、言った。

「ひねくれてる場合かよ。あの犬はおまえが飼ってるんじゃないのか？　大好きだったんじゃないのか？」

ダマリスは答えず、ロヘリオはまた出ていった。

ダマリスが子犬たちを見たのは翌日、空腹を覚えて昼食を作るためにやむを得ずあずまやに行ったときのことだ。レインコートを使ってロヘリオが即席で作った寝床の上に子犬たちがいて、雌犬が授乳していた。全部で四匹、それぞれ体の模様が違っている。エロディアさんのモーテルで出会ったときの雌犬と同様、とても小さくてまだ目も開かず、頼りない。乳のにおいがして、ダマリスはたまらなくなった。一匹一匹つかんで鼻に寄せ、香りをかいでぎゅっと抱きしめた。

雌犬は母としては最悪だった。二日目の夜、自分が産んだ子を一匹食べてしまうと、その次の日からは残った三匹を放置してプールサイドで日向ぼっこをしたり、いつもひんやりしている洗濯盥や、どこかの家の床下でほかの犬たちと一緒に寝そべっていたりした。どこにでも入り込んだが、子犬たちにだけは近寄ろうとしなかった。だからやむを得ず、雌犬を捕まえてあずまやに連れ戻し、子犬たちのそばに寝かせて授乳させるのがダマリスの役割になった。

雌犬は母乳を満足に与えず、子犬たちが空腹で始終キーキー鳴いていたため、生後二週間経つと粉ミルクを買わなければならなくなった。雌犬がまた逃げたのは子犬たちの産後ひと月も経たないころで、そのまま戻ってこないので、今度は子犬たちに残飯の食べ方を覚えさせた。数日後、戻ってきたときにはもう乳が出ず、雌犬は子犬たちに目もくれなくなっていた。

子犬たちはあずまやや、歩道、階段と、どこででも排泄したが、なぜか草の上ではしなかった。だからダマリスは、普段の仕事の傍ら、子犬たちのあとをついて歩いて汚したところを掃除する羽目になった。ある日、ロサ夫人の家の片づけに午後いっぱいかかり、子犬たちの世話をしてやれなかったときのことだ。漁から戻ってきたロヘリオが糞を踏みつけた。サンダルを履いていたので汚れたのは靴底だけだが、ロヘリオは激怒し、次にこんなことがあったら、自分でも何をしでかすかわからないからなと怒鳴った。

また糞を踏むことこそなかったものの、そのほんの数日後、子犬のうちの一匹がロヘリオの足にとびかかり、細く鋭い歯で嚙みついたので、彼は犬を蹴り飛ばした。犬はあずまやの壁にたたきつけられた。

「ひどい！」ダマリスは叫び、犬の手当てをしようと駆け寄った。蹴り飛ばされたのは雌の子犬だ。三匹のなかで一番のいたずら好き、黒い毛がもこもこしていて、片方の目の周りだけが白かった。

ロヘリオは謝りもせず、振り返って犬の様子を見ることもなく、すたすたと歩いていった。体を強く打ちつけた子犬はぼうっとした様子だったが、すぐに元気になり、ほんの数分後にはもう元の通り遊んでいた。

翌日、ダマリスは子犬たちの引き取り手を探す作業に取り掛かった。

三匹のなかで一番大きい、赤毛で耳の長い雄は、隣村へ行く上り坂の途中にある旅行者向けバンガローで飼うことになった。もう一匹の、母犬と同じく灰色の短毛が特徴の雄はハイメさんの妻の姉妹に引き取られた。雌をほしがる人はいなかった。この地域に獣医はおらず、動物の不妊手術をする方法がない。発情期の雌の世話はみんないやがるし、生まれた子犬の面倒を見るのはなおさらだった。犬や猫のひと腹の子をそっくり入り江に投げ捨て、潮が運んでいくに任せる人たちをこれまでダマリスは崖の上から数多く見てきた。

もらい手探しに協力していたエロディアさんが、雄犬を亡くしたヒメナのことを思い出した。彼女は最初から雌犬をほしがっていた。ふたりともヒメナの携帯電話の番号を知らなかったし、それを知っている人も周りにいなかったので、ダマリスが隣村の手工芸品の売店まで行って、もらう気があるかどうか訊いた。

すごくほしいとヒメナは答え、翌日引き取りに行くと約束した。崖までの道を知らないというのでダマリスが教え、ふたりは携帯の番号を交換した。次の日、ダマリスは一日中ヒメナを待ったが、来なかった。プリペイド携帯の残額が足りず電話できなかったので、翌朝、潮が低くなるのを待って村に買い物に行き、ハイメさんの《通話売り》、つまり通話時間に応じて料金を支払う貸し電話を利用してヒメナにかけた。応答はなく、その日の午後も、その後何日経っても、ヒメナは雌の子犬をもらいに来なかった。

一週間が過ぎた。子犬は恐るべき時期に差し掛かっていた。成犬より多くのエサをせがみ、ずっとダマリスの足にかじりついて過ごし、すべきところ以外ならどこでも糞をし、椅子の脚、ダマリスのたった一足のよそ行きの靴、台所の布巾、ロヘリオが釣りに使う浮きなど、行く手にあるものは何でも台無しにした。ロヘリオが気づいて犬を罰する前にと、浮きはこっそり崖から捨てた。浮きを見なかったかとロヘリオに訊かれたが、ダマリスは知らないと答えた。彼は疑わしそうにダマリスを見たものの、何も言わず、何もしなかった。

いつしかダマリスは、海に子犬を捨てる人の気持ちがわかるとつぶやくようになっていた。こうなったらそうすべきだと自分に言い聞かせながら村を歩いていたとき、桟橋でポーターをしている男が話しかけてきた。彼女が犬を他人に譲っているという話を聞いて、まだ残っているかと訊ねてきたのだ。雌が一匹だけ、とダマリスは答えた。

「いつ引き取れる?」男は何の躊躇もなく訊いた。

ダマリスはヒメナに電話して、もういらないかどうか確認しようと考えたが、《通話売り》の商人がうろうろしている桟橋近くにいるにもかかわらず、電話はしないことに決めた。ヒメナは応答しないかもしれない。それに、ほかの人にあげる子犬だったことを男が知って気を変えたらどうなる？　それどころか、ヒメナが電話に出て、この前と同様雌犬をもらいに行くと請け合って、結局来なかったら？

「よかったら、すぐに帰って渡すわ」ダマリスは言った。

引き潮だったので、くるぶしまで足を水につけて入り江を歩いて渡った。男は崖の上に来たのが初めてだという。ぽかんと口を開けて見とれ、プールや庭、それに海、島々、入り江に向かって開けた眺望をほめた。だがお屋敷を見たときは何も言わなかった。

「二十年ほど前から、オーナーはペンキも何も送ってこなくなったのよ」ダマリスが言い訳した。

「かろうじて建っているというわけか」男が言った。

ダマリスにもらった子犬を撫でながら、彼は微笑んで立ち去った。

ダマリスは崖の上から彼を見送った。ひどく醜い男で、肌にニキビの跡があり、病的に痩せている。全種類のマラリアにかかって生き残ったそうだ。彼の妻はダマリスより太っていて、彼より少なくとも二十歳上だが、夫婦はいつも手をつないで村のなかを歩いている。彼らも子どもがいないから、きっとすごく雌犬をかわいがるんだろうなと、ダマリスは考えた。もしかしたら、子どもがいないことがふたりを固く結びつけているのだろうかと、そんなふうにも思った。

ヒメナが現れたのはさらに一週間後、つまり犬をもらいに行くと言ってから十五日後のことだった。ダマリスが管理人小屋のトイレを掃除していると、犬たちの吠える声が聞こえた。何があったのかと外に出ると、犬たちは階段の最上段にいた。ダンジェルは毛を逆立ててうなり、両脇を固めたモスコとオリボも加勢して吠えていた。ヒメナはそこから数メートル下がった、階段の一番上の踊り場で固まっていた。ダマリスが犬たちをなだめ、あっちへ行ってなさいと追い払ったので、ヒメナはようやく階段を上り終えた。

引き潮で入り江を歩いて渡ってきたため、ヒメナの脚は濡れていて、サンダルと足は泥だらけだった。そのうえ動揺して汗をかいていた。隣村から歩いてきて入り江を渡り、階段を上って犬たちに脅かされたので疲労困憊しているようだ。ダマリスが水を勧めたが、ヒメナは斜め掛けにしたリュックを示した。

「ここに持ってる」そう言ってすぐ、じれったそうに付け加えた。「犬をもらいに来たの」

ダマリスは漂白剤のついた手をTシャツで拭き、おどおどしながら、あなたは引き取りに来なかったし、電話をしても出なかったので、ほかの人に譲ったのと説明した。

「あたしの子犬を、ほかの人に譲ったの?!」

ダマリスがうなずくとヒメナは激怒し、まくしたてた。もう自分のものじゃないのに、他人にあげるなんてあんまりだ、あんたが提案して、あたしが承知した瞬間から、あんたのものじゃなくなったんだ、あたしがどれだけあの子犬をほしがってたか、あの子の世話をするのを楽しみにしていたかよく知っていたくせに、もう小さな寝床も用意した、ブエナベントゥーラからペットフードを運ぶ手筈も整えていたのに、少なくとも、もう来ないでと知らせるくらいの心遣いはあるべきだった、そうすればこんなクソみたいな道を歩いてきて、地獄の果てのもっと向こうにあるような、こんなくだらない場所に来なくてよかったのに。

罵り合いを始める必要はないと、ダマリスは冷静に答え、子犬を他人に渡した理由をもう一度説明しようとしたが、ヒメナは聞く耳をもたず、こうなったのは自分のせいでもあることを認めようともせずに、ダマリスの言葉を遮って言った。

「いいわ、じゃあほかのをもらっていく」

ダマリスは黙りこくってうつむいた。

「どうしたの?」ヒメナが訊いた。察しがついたようだ。「もう一匹も残っていないの?」

ダマリスはうなずいた。

「いたのは三匹だけで、ほしいかどうか訊きに行ったときはあの雌しか残っていなかった」

ヒメナは、すべての呪いがこの女の上に降りかかればいいのにという目でダマリスを見た。その視線がいつまでも張りついているようにダマリスには思えた。

「ほかの人に譲る前に、あたしに電話するべきだった……」ようやく、ヒメナが口を開いた。

「それは考えた。でも、この前みたいに電話に出なかったら……」

「何なの？　あたしがまた出ないと思ったの？」

ダマリスは声を低めた。

「それとも、もう子犬に興味がないんじゃないかと」

「ひどいわね、あんたはあたしに電話すべきだった、それはわかってるはずよ」

ダマリスはそれ以上何も言う気になれず、ヒメナの言葉を無視した。立ち去ろうとして背を向けたヒメナは、目の前に、階段を上ってくる雌犬がいるのを見つけた。最近では、雌犬は山だけではなく村に脱走することがあった。水が大の苦手だというのに、たとえ満潮のときでも泳いで入り江を渡るようになっていた。今も階段を上がってきた雌犬は足が泥だらけで、水をぽたぽたと垂らしている。ダマリスのほうを振り向いたヒメナの顔からは、先ほどまでの怒りが消えているように見えた。

「子犬たちのママ?」

「そうよ」ダマリスは答えた。

「すごくかわいい。こういうのを飼いたいって、想像してた通りの雌だわ。手ぶらで帰るなんて悲しい」

そう言って、ヒメナは帰っていった。雌犬がダマリスにしっぽを振りはじめた。だがまる一週間どこかに行っていて、帰ってきたら触れるものすべてを汚すだけの雌犬が、ダマリスは憎らしかった。

その夜、ダマリスは雌犬を見つめていた。悪意はもうなく、しばらくして犬をつないだときには、背中に手を滑らせさえした。子犬たちが生まれる前から、もう撫でることはなくなっていたから、ずいぶん久しぶりだ。

翌朝は、つないだ雌犬と一緒に村へ下りた。潮がいちばん低い時刻で、ダマリスたちは大きく広がった浜辺を歩いた。砂は海や空と同じ、灰色をしている。漁師たちは小型船に乗って漁に出ていて、浜辺にいるのはごみが散乱するなかで裸で遊ぶ、鼻水をたらした子どもたちだけだ。一晩中降った強い雨も今は霧雨となり、人々は通りに出て、全く降ってなどいないかのように普段の生活を送っている。雨はいつも爽快で清らかで、世界を浄化してくれるように思えるが、実際には木々の幹、桟橋のコンクリートの柱、電柱、家々の木の杭、板壁、トタン屋根、アスベスト等々、すべてがカビに覆われるもととなるのだ。

歩いていくと、野良犬たちが家やレストランの下から出て、雌犬のにおいをかぎに近づいてきた。この犬たちと知り合いらしく、忌々しいことに雌犬はしっぽを振って応えている。モーテルにエロディアさんの姿がないのでダマリスはほっとした。もしいたら、自分がこれからしようとしていることを、どう説明すればいいのかわからなかっただろうから。

浜辺を抜けたダマリスたちは舗装道路を上っていき、家や商店、木造の小さなホテルが立ち並ぶ通りを進んだ。浜辺の宿はすたれているが、こちらのホテルはそれほどでもなく、建物の正面にはラッカーやペンキが塗ってあり、庭には蘭が咲いていた。軍用飛行場と、シーズンには鯨のジャンプを見られる〈クジラ・パーク〉を横切り、隣村に着いた。

空は相変わらず雲に覆われているが、もう雨は降っていない。ヒメナは開店の準備をしていた。細心の注意を払い、まるで定規を使っているかのように、商品をビロードの布の上にきっちり並べている。ダマリスと犬が近づいてくるのを不思議そうに眺めていたが、自分の前で立ち止まったのを見てさらにいぶかしげな表情になった。

「あんたたち、ここで何をしてるの?」

「犬を連れてきたの」

「その雌犬を?」ヒメナは驚いて訊ねた。

「引き取ってくれるなら」ダマリスは言った。

「もちろん」ヒメナは興奮した様子で、身をかがめて犬を撫でた。「あたしのシモンのきょうだいなんだもの、もらうにきまってるでしょ!」

だが突然動きを止め、顔を上げて疑わしそうにダマリスを見た。

「どうしてあたしにくれるの?」

「わたしより、あなたのほうがこの雌犬をほしがってるから」

この答えにヒメナは満足したようだった。

「あんたの家には、犬がずいぶんたくさんいるものね」そう言って、また撫でた。「何て名前?」

「チルリ」

「こんにちはー、あたちのチルリ」頭や背中に触れながら、舌足らずな口調で話しかけた。「こんにちはー、あたちのきれいでかわいい子、お元気でちゅか?」

雌犬はしっぽを振った。

「必ずつないでね」ダマリスが注意した。「少なくとも、慣れるまでは。そうしないと逃げてしまうわ」

「わかってる」ヒメナが言った。

ところが数日後、雌犬は崖の上の家に帰ってきた。ドラマを見ていたダマリスはテレビを消し、全速力で小屋を出て、追い払いに行かなければならなかった。間違っても歓迎されているなどと犬に思わせないためだ。あらゆる威嚇的な仕草をして、脅すような声を出してみたが、雌犬は怖がりもせず、ただお屋敷の床下に入ってしまっただけだった。ダマリスが箒を使って追い出そうとすると、犬は真ん中のほうに逃げ込んでしまう。そこは箒も、プールのごみをすくうのに使う網のついた長い棒も届かないところだった。

携帯の残額があれば、ヒメナに電話して犬を引き取りに来てほしいと伝え、あとはこのことを忘れてまたドラマを見られるのに。残額がないので苛立ち、心のなかでひたすらヒメナを罵った。「愚かなばあさん」ヒメナに向けてつぶやく。「普段の行いが悪いからこうなるのよ。つないでって言わなかった?」「ああ、つないだのね」まるでヒメナが答えたかのように続ける。「じゃあつなぎ方が悪かったのよ、ばか、まぬけ、しわだらけで髪は真っ白のくせに、こんなクソみたいな結び目ひとつ作れないの?」ダマリスは片手にプール掃除用の長い棒を持ち、もう片方の手をやたらと振り回して、まるで本当にだれかと言い争っている最中のように顔をしかめてお屋敷の周囲を歩き回った。ロヘリオはロサ夫人の土地の草刈りに行っていたが、もしこの瞬間を目撃していたら、ダマリスの頭がおかしくなったと思っただろう。

どうすればいいのか突然ひらめいたダマリスは、棒を歩道に投げ捨てて洗濯場に行った。一番大きなバケツに水を満たして小さな盥をつかむと、お屋敷に取って返し、犬に最も近い地点でかがみ込んで水をかけはじめた。バサッとかかることはなく、せいぜいしぶきが飛ぶ程度だが、水を忌み嫌う雌犬にとってはこれでも十分だ。床下から出て庭に逃げたので、注意がそれるのを待って後ろから近づき、ダマリスはバケツを犬の頭上でひっくり返した。

雌犬はびっくりして飛び上がり、混乱、あるいはおそらく恐怖が浮かんだ犬特有の目つきでダマリスを見て遠ざかりはじめた。以前は味方だった人間が、今、自分に対して最も大きな裏切り行為をしたのだ。しっぽを丸め、後方を気にして絶えずきょろきょろしながら歩いていく。今この瞬間、雌犬との間にあったものが壊れた、もう修復はできないとダマリスは感じた。こうなることを期待していたはずなのに、胸が痛んだ。

あれは自分の飼い犬だった。そのままなら死んでいたかもしれないのを救い出し、ブラジャーに入れて運び、物の食べ方、正しい場所で排便すること、お行儀よくすることを教え、やがて成犬となって彼女を必要としなくなるまで育て上げた。その雌犬のあとをついてダマリスは庭じゅうを回り、階段まで追い込んだ。犬は階段を下り、潮の引いた入り江を渡って向こう側へ着き、ぶるんと体を振って、下校途中の子どもたちの間を縫って歩き、村のなかへ入っていく。姿が見えなくなるまで見届けたが、犬はたった一度すらも振り返らなかった。涙をこぼしはしなかったものの、ダマリスはほとんど泣きそうだった。

翌朝、雌犬は戻っていた。あずまやのいつも寝床を置いていた場所に寝そべっていたが、ダマリスを見るが早いか起き上がり、遠ざかった。捕まえようと近づくと、強い雨が降っているというのに、雌犬はあずまやから出ていった。そこでダマリスは興味を失ったふりをして綱を隠し、もう雌犬のほうは見ずに、かまどに火をつけてコーヒーの準備に取り掛かった。

犬は今、あずまやの張り出し部分の下に隠れているが、そこは屋根から滴り落ちる雨が跳ねかかって濡れるから、そう長くはいられないだろう。あずまやのなかにいれば体が濡れることもなく、安全なのだから。張り出し部分の入り口のそばにかまどがあるので、ダマリスはその前で辛抱強く待ち、やがて犬が入ってきたので捕まえて、牛をつなぐように首に綱をかけ、引き解け結びにした。結び目を強く締めて押さえつけ、近づける状態にしてから綱を緩めて、首が絞まらないよう、ロヘリオに教わった通り脇の下を通して綱をかけなおした。

夜の間はすさまじい土砂降りで、その後雨脚は多少弱まったものの、すぐに上がりそうな気配は全くない。潮はまだ高く、木や枝を巻き込みながら激しく流れている。ロヘリオは少し前に目覚めていたが、小屋から出てはいなかった。ダマリスと雌犬が階段のほうへ向かって通り過ぎていくのを見て、窓から顔をのぞかせた。

「出かけるのか?」驚いて訊ねた。

ダマリスは「ええ」と答え、あずまやにコーヒーがあると伝えた。

「どこへ行くんだ?」

「犬を置いてきて、それから買い物へ」

「置くって、どこに？」

「犬をあげた女の人のところに」

「犬をあげた？　なぜ？」ロヘリオは理解できない様子でダマリスを見た。

彼女は肩をすくめ、彼はさらに質問した。

「雨が上がって潮が引くのを待てないのか？」

「待てない」彼女が答えた。

ロヘリオは感心しない、というように首を横に振ったが、かといって思いとどまらせようとはせず、それ以上説明を求めたりもせずに言った。

「懐中電灯用の乾電池を四個買ってきてくれ」

ダマリスはうなずき、犬と一緒にまた歩きはじめた。犬を連れて小舟で入り江を渡るのは不可能だったため、嵐の残骸を避けながら泳いだ。向こう側に着いたとき、ダマリスは崖のほうを振り返った。ロヘリオはまだ窓辺にいて、ダマリスたちを見ていた。

雨のなか、ダマリスたちは隣村への道を歩きとおした。着いたときにはびしょぬれで震えていた。手工芸品の店の通りにはヒメナも先住民も、だれもいなかったので、ダマリスは数メートル先にある大きな店に行った。すらりと背が高く、明るい色の目をした青年が応対し、ヒメナはアラストラデロと呼ばれる、隣村のもっと向こうまで長々と続く入海のそばに住んでいると教えてくれた。

アラストラデロへの迂回路のすぐ手前にある別の店でもう一度訊ね、ヒメナが迂回路をまっすぐ行ったところにある小さな青い家に住んでいることを確認した。乗船場に下りる前に左手に見えてくる家だという。そのころには雨が霧雨に変わっていて、目的の家に着いたときには完全にやんでいた。

アラストラデロへと続くぬかるんだ道の真ん中に、作り物めいた、ドールハウスのようなヒメナの家が建っていた。ペンキを塗ったばかりのようで、壁はエレクトリックブルー、ドア、窓、ポーチの手すり、屋根は赤と鮮やかだ。ドアが開いていて、フルボリュームのレゲトンが聞こえてきた。

ポーチに上がるとなかが見えた。奥が居間に続くオープンキッチンになっている。ひとりの女が、コンロの上の鍋の中身をかき混ぜていた。ヒメナと同年配か、たぶん少し年下だろうが、よく似ている。居間では若者がふたり、シャツも靴もつけずにだらんとソファに寄りかかっていた。ふたりとも村に住んでいる黒人だ。ひとりは下着のパンツだけを身に着けていてドレッドヘア、もうひとりはスキンヘッドで派手なチェーンネックレスを首にかけ、裾を切り落としたジーンズ姿。ヒメナは若者たちと向き合う形で、木のベンチに腰掛けていた。片手にビール、片手に煙草を持ち、髪はぼさぼさでうなだれている。もう朝の九時にはなっているだろうが、皆の表情は酔っぱらっているかラリっているか、あるいはその両方に見えた。

「おはよう」ダマリスは挨拶したが、だれも聞いていない。「ねえ、ちょっと」大きな声で呼びかけてみた。

パンツ姿の若者がこちらを向いたので、だれかわかった。エロディアさんの孫のひとりだ。若者に注意を促され、ヒメナはドアのほうに顔を向けた。どろんとした目でダマリスと雌犬をじっと見てから、吸い殻でいっぱいの灰皿に煙草を押しつけて消し、立ち上がって体を揺らしながら歩きはじめた。まるで今にも飛び立ちそうな、ふわふわとした足取りだ。やがてダマリスたちの前まで来ると、ドアにしがみついた。

「あたしのワンコちゃん」まだるい口調でヒメナが言う。「まさか、あんたの家からこの子を連れてきたんじゃないでしょうね?」

「ええ、そうよ」

「ほんの一瞬、ちょっとうっかりしてドアを開けっぱなしにしたときに逃げちゃったの」

「昨日の午後からうちにいるけど」

「迎えに行くつもりだったの、でも友だちが来て」若者たちのほうを示してヒメナは言った。

「飼うなら責任持ってよ」

「わかってる」

「つないで、閉じ込めて、ドアは閉めたままにして……。やるべきことをやって、逃がさないで」

「うん」

「次はないと思いたいけど、もしあったら、もう連れてこないからね」

酔っぱらっているときのヒメナはおとなしくて愛想がいい。素面のときの攻撃的なヒメナとは別人のようだ。

「ちゃんと世話する、心配しないで」

ダマリスは綱を差し出した。ヒメナは綱をつかんで犬を撫でようとかがみ込んだが、そのまま倒れてしまった。来た道を戻る前、最後にダマリスが目にしたのは、ぼろ人形のように脚を広げて地面に座ったヒメナと、後ろ脚の間にしっぽを巻き込み、まるで畜殺所に置き去りにされるかのように沈痛な目でダマリスを見ている雌犬の姿だった。

ダマリスはハイメさんの店に立ち寄り、プリペイド携帯をチャージして、自分とロヘリオの懐中電灯用の電池や食料雑貨など、かなりの買い物をした。その週はロサ夫人の家の管理人報酬が届いたうえ、ロヘリオの刺し網漁の獲れ高が多く、組合にいい値段で売れたので、ブラジャーのなかから取り出した濡れたお札で今日の買い物とこれまでのつけの分を払っても、まだ来週分の買い物ができるほど余裕があった。

その夜はひたすら料理して、魚のフライにスープ、ライス、サラダを作った。一部は翌日の朝食や自分用の昼食に置いておき、残りは〈風と潮〉号で漁に出るロヘリオに持たせるために包んだ。〈風と潮〉号の長い船体はすでに波止場にあり、すべての装備を積み込んで出航を待っている。漁は何日もかかるかもしれないと思うと、ダマリスはうれしかった。ひとりの時間がほしかった。

ロヘリオは日の出前に出発し、ダマリスは遅くまで眠った。その日は何もしなかった。前夜のうちに料理していたので、食事の用意をする必要さえなかった。管理人小屋の居間にマットレスを置き、テレビを見はじめた。入浴もせず、立ち上がるのはトイレに行くか食事をするとき、それにおなかがすくと小屋の戸口に立ちはだかってこちらをじっと見る犬たちに、エサを与えるときくらいだった。自分自身は鍋から直接食べ、朝に一度、午後の終わりに一度、合計二回自慰をした。連続ドラマを全部見て、ニュース、リアリティ番組も見たが、夜間にひどい嵐になってハリケーンのような風が吹き、びっくりするほど間近で稲妻が光って停電したので、眠ることにした。

翌日、嵐は跡形もなかった。起きたときから活力がみなぎっていたダマリスは、今日はお屋敷の大掃除をしようと決めて、ストレッチ地のショートパンツと仕事用の色あせたタンクトップを身に着けた。午前中は浴室と台所に集中した。家具と引き出しの中身を全部出して徹底的に整理し、食器やあらゆる台所用品を洗い、窓ガラスや鏡にこびりついた油汚れを取り、流し、シャワー、洗面台、床から壁まで磨いて、タイルと目地を漂白した。縁が欠けたタイルがいくつかあり、鏡には多数の黒いシミが浮き、流しと洗面台は二か所ほど錆びているが、それを除けばどこもぴかぴか。ダマリスは満足げに仕事の成果を眺めた。

昼になったので、あずまやに行ってお気に入りの料理を作った。目玉焼きを載せたライス、塩を振った輪切りのトマト、青いバナナをパリパリに揚げたもの。海を見ながらゆっくり食べた。嵐のあとの海は青く、凪いでいる。ダマリスはレジェス夫妻のことを考えはじめた。いつか彼らは戻ってくるはず、それがどうか今日のような日でありますように。お屋敷に足を運んだふたりが、ストレッチ地のショートパンツと仕事用のタンクトップ姿で、汗と汚れにまみれながら掃除をしているダマリスを見て、一ペソも払っていないのによく働く、いい人間なんだと気がついてくれますように。

亡くなったニコラシートのことを思い出す。彼の微笑み、彼の顔、プールのなかでの宙返り……。何かを約束して、大人みたいにまじめくさって握手をした日のこと。部屋のカーテンと寝具の模様は、『ジャングル・ブック』というお気に入りの映画に出てくる動物たちと子どもを描いたものだと説明してくれたことも。同タイトルの本もあり、ジャングルのなかで迷子になった子どもが動物たちに助けられる話だと聞いて、ダマリスは戸惑い、訊ねた。「動物が助けるの?」そうだよ、一匹のヒョウとオオカミの一家に助けられたんだとニコラシートが答え、ダマリスはありえないと爆笑した。

あのときは楽しかったけど、今となっては恐ろしい記憶だ。思い出すたび、ダマリスを同じ場所へと連れていく。そこではほっそりとして色の白いニコラシートが、崖の前に立っている。「彼を連れていった、あの波が憎らしい」ダマリスはつぶやいた。だがそうではない、憎むべきは彼を止めなかった、行かせてしまった自分、手をこまねいて立ちすくみ、叫びさえしなかった自分なのだ。

ときの流れなどなかったかのように、ダマリスはまた罪の重みを感じた。レジェス夫妻の苦しみ、おじの鞭打ち、人々の視線。崖も、そこが危険なこともよく知っているおまえがいて、どうしてあの悲劇を回避できなかったのかとその目は言っている。そしてルスミラの言葉。事故から数か月経った夜、眠りにつく前の闇のなかでルスミラは、ダマリスがニコラシートを妬んでいたとほのめかしたのだ。「ニコラシートは長靴を持ってたものね」ダマリスはそれを聞いてかっとした。「妬んでたのはあんたよ」そう答え、その後ルスミラが謝ってくるまで彼女と口をきかなかった。

ダマリスはしばし、放心状態になった。体はあずまやにいて、視線は床のポリッシュコンクリートに向けながら、心は母親が生きていた時代に飛んでいた。ダマリスをエリエセルおじに預けて、母がブエナベントゥーラに旅立った日。そのころダマリスは四歳、サイズがきついお下がりの服を着て、頭の高いところで結んだ短い三つ編みがふたつ、アンテナのようにぴょんぴょんと立っていた。当時は桟橋もモーターボートもなかったので、週に一回来る船に乗るにはまず、浜辺から漕ぎだした小舟に乗り、そこから船に移らなければならなかった。ダマリスとおじは砂の上、母はズボンの裾を折り返して砕波帯に立っていた。きっと母は、船へと乗客を運ぶ小舟に乗るところだったのだろう。だがダマリスの記憶にあるのは、歩いて沖へと遠ざかり、やがて見えなくなる母の姿だった。それは最も古い記憶のひとつで、思い出すたび孤独を感じ、泣きたくなった。

ダマリスは涙を拭いて立ち上がった。皿を洗い、掃除の続きをしようとお屋敷に戻った。居間と各部屋のカーテンを外して洗濯場まで持っていったが、ニコラシートのカーテンは除けておいた。いつも彼のカーテンは特別念入りに、優しく洗うのだ。カーテン洗いは重労働で、根気も筋力も要る。特に居間の大窓のカーテンは、床から天井、壁から壁、つまり部屋の一面をまるごと覆う巨大なものだった。洗濯盥はそう大きくはないので、全体を一度にではなく、少しずつ洗っていかなければならない。背を丸め、両手に力を込めてごしごしこすり、汚れが浮き出て泡が黒くなってきたら、水がきれいになるまですすぐ。この作業を、カーテン全体を洗い終わるまで繰り返す。背中を痛めつつ、不器用で男みたいな手で休みなく布をこすりながら、ダマリスはとりとめのない考えに耽っていた。この仕事をしたところで、報酬はもらえない。ニコラシートを妬んでいたのは本当だが、それは長靴のせいじゃない。新しいTシャツ、幼子イエスからもらったおもちゃ〔コロンビアには赤ん坊のイエス・キリストがクリスマスプレゼントを持ってくるという言い伝えがある〕、『ジャングル・ブック』のカーテンと寝具など、きれいなものをたくさん持っていたからでもない、彼がパパやママと一緒に暮らしていたからだ。ルイス・アルフレド氏は「さあ、チャンプ。腕相撲をしよう」と誘っては、いつも息子に勝たせていた。エルビラ夫人は、息子がそばに来ると笑顔になり、髪を手で梳いて整えてやっていた。わたしなんて、とダマリスはつぶやいた。わたしなんて、みんなからいやな目で見られ、疑いをかけられ非難され、エリエセルおじさんから鞭打たれて当然だったんだ。おじさんはもっと何度も、もっと激しくわたしを鞭打つべきだった。

ようやく洗い終えたのはもうすぐ日が暮れるころで、ダマリスは疲れ切っていた。海はまだ、どこまでも続くプールのように凪いでいたが、ダマリスは騙されなかった。あれは何人もの人々を飲み込み吐き出してきた、邪悪なけだものなのだ。ダマリスは洗濯盥で入浴し、カーテンをあずまやに張ったひもにかけて干し、鍋に残っていたライスの残りを食べた。それまで犬たちの姿を見ていなかったことに気がついて、エサをあげようと探したが、どこにもいなかった。あきらめて小屋に行き、仕事着を替えもせずにテレビの前に置いたマットレスに寝そべった。ほんのちょっと休むつもりだったのだが、連続ドラマの途中でぐっすり眠り込んでしまい、まるで死んだようにぴくりともしないまま朝を迎えた。

雨は結局降らなかった。晴れ上がった美しい朝だ。ダマリスは一晩中つけっぱなしだったテレビを消し、小屋の窓を開けて日差しを取り込み、コーヒーを入れようとあずまやへ向かった。ところが、そこで見た光景に凍りついた。ニコラシートのカーテンが地面に落ち、泥にまみれてびりびりに破れていたのだ。ダマリスは拾い上げようとかがみ込んだが、手にしたものはほんの小さな切れ端だった。修復不可能なまでにずたずたになっている。ニコラシートの『ジャングル・ブック』のカーテンが！

そのとき、雌犬の姿が目に入った。あずまやの隅、薪をくべるかまどのそばで、ほかのカーテンの陰に隠れて寝そべっている。ほかのカーテンは手つかずで、ひもにかかったままだった。激怒したダマリスは船のもやい綱をつかみ、引き解け結びを作って、プールに面した側から外に出た。あずまやの周囲を回り、かまどのある側から入って、何が起きているか気づく暇も犬に与えず、背後から綱をかけた。いつもなら、引っ張って結び目を締めたらそこでやめ、綱を首から外して斜めにかけなおすのだが、今日はありったけの力を込めてギリギリと締めつづけた。見ているものをまるで認識していないかのように、自分の前で体をよじる犬にぼんやりとした視線を向けていたダマリスのその目が唯一とらえたもの、それは犬の膨らんだ乳首だった。

「また身ごもってるのね」そうつぶやいたダマリスは、綱を握る手にさらに気持ちを込め、締めて、締めて、締めつづけ、やがて雌犬がぐったりとして倒れ、床の上で玉のように体を丸めて動かなくなってからも、ずいぶん長いこと力を緩めなかった。尿でできた黄色い水たまりが強いにおいを放ち、ゆっくりと広がって、どんどん細く、長く、形を変えながら、素足でいるダマリスのところまで届いた。そのときになって初めてダマリスは反応した。綱を緩め、尿の池から離れて雌犬のほうに近づき、足で触ってみた。動かない。これでは、自分がしたことを認めないわけにはいかなかった。

呆然自失の体でダマリスは綱を放し、死んだ犬を、長く尾を引いて流れる尿を、蛇のように床の上に伸びた綱を見た。すべてを恐怖の目で眺めながらも、どこかで満足も感じていた。だがそんな気持ちは認めないほうがいい、ほかの感情の後ろに隠して葬り去るほうがいい。精根尽き果て、ダマリスは床に座り込んだ。

どのくらいそうしていたのかわからなかった。永遠にも等しい時間に思えた。それから、首の綱を緩めようと四つん這いになって犬に近寄った。だが緩めることはできず、再び永遠と思える時間が過ぎたのちに立ち上がり、大型ナイフをつかんで綱を切った。解き放たれた雌犬を、ダマリスは撫でてやりたくなったが、撫ではしなかった。ただ見るだけにとどめた。犬はまるで眠っているようだった。

それから、力を込めすぎたせいで痛む両腕に犬を抱え、山まで運んだ。渓流を超え、山の奥深くのインガの木のそばに置いた。木の葉と白い綿毛のような花で地面が覆われたところだ。美しい場所だった。亡くなったニコラシート、ルスミラと一緒に、数えきれないほど何度もこの木に登って実を採った楽しい思い出がよみがえる。立ち去る前にまるで祈りを捧げるかのように、雌犬をしばし見つめた。

ダマリスはずたずたになったカーテンをたたみ、ビニール袋に入れて、ニコラシートの部屋のタンスの、服とナフタリンの玉の間にしまい込んだ。むき出しの窓を見て心が痛んだ。レジェス夫妻が亡き息子の部屋に入り、カーテンがなくなっていることに気づいてどんな反応をするかを想像するのもつらかった。ロヘリオのことも考えた。彼はきっと「あの畜生らしい仕業だな」とかなんとか言うだろう。「憎たらしい雌犬」窓にかけるための古いシーツを取りに行きながらダマリスはつぶやいた。「あれでよかったんだわ」

お屋敷の掃除はまだ終わっていない。タンスのなかの整理をして、木の床を磨き寝具を洗わなければならないが、その日はもう何もする気が起きなかった。料理もしたくないし、食欲さえわかない。犬たちはまだ戻ってきていないので、エサをあげる必要もなかった。マットレスの上に寝そべり、また一日中、テレビの前でだらだらと過ごした。眠気も起きない。雨が降り出し停電したときにはもうすっかり夜も更けていたが、眠れなかった。

ひどい土砂降りだが風はなく、まっすぐに落ちてきてアスベストの屋根をたたきつづける規則正しい雨音が、ほかのあらゆる音を聞こえなくして、聴覚以外の一切の感覚をも遮断する。もう一分たりとも、こうしているのに耐えられない気がした。今日起きたことが頭から離れない。雌犬のあがき、腕をねじって綱を締めつける自分、くずおれる雌犬。それでもなおありったけの力を込め、綱を短く持って引っ張り、やがて抵抗を感じなくなった。あれが殺すということだ。難しくなかったし、そんなに時間もかからなかったと、ダマリスは思った。

そのときふと、夫を斧で切り刻み、肉片をトラに与えた女のことを思い出した。ニュースでは、トラではなくジャガーと言っていたが。バホ・サン・

ファンの動物保護区で起きた出来事で、トラは檻に入っていた。自分は夫を殺していない、マルティニクランスヘッドに噛まれて死んだのだと女は話した。そこは人里離れた場所で、通信手段は何もなく、死体をどうすればいいのかわからなかった。そのジャングルの土地は粘土質で固く、死体が入るほどの穴を掘るのは不可能だったから埋めることもできず、海へ投げ捨てるかその場に放置してコンドルの餌食になるかする前に、いつも腹を空かせているトラに食べさせたという。信じる者はだれもいなかった。夫の死体を切り刻み、肉片をトラに与えることができるほどの女なら、怒りに満ちて殺したに違いないからだ。

警察が彼女をサン・ファンからブエナベントゥーラに連行する途中、ここの村に寄港した。皆が桟橋まで見に行った。手錠をかけられた女の顔には、長く黒い髪がかぶさっていたが、それでも皆にはその目が見えた。ごくありふれたコーヒー色の瞳、白人女の瞳で、状況が違えばだれの記憶にも残らなかっただろう。だが決して下を向かず、立ち向かってこようとするものすべてを受け止める視線は、忘れようのないほど厳しかった。あれは人殺しの目だ。自分のしたことを後悔せず、重荷から解放されて安堵を感じている者の目、そんな目をダマリスも今、しているに違いない。

ヒメナが気をつけていなかったので、犬はまた妊娠した。あのままなら犬は、何度ヒメナのところに連れ戻されようとお構いなしで、脱走してはここに戻るのを繰り返していたことだろう。自分の家とみなしている、この崖の上に。そして結局あずまやで出産し、母親失格と証明済みの雌犬は、また子育てを放棄しただろうから、ふたたびダマリスが子犬たちの世話を引き受けざるを得なくなっただろう。今度は何匹生まれることになっていたのか、そのうち雌は、だれもほしがらない雌犬は何匹いたのか、知る由もないが、もし生まれていたら、今度はダマリスが子犬を海に捨てることになっただろう。それは子犬たちを殺すのと同じことだ。何匹も殺す代わりにたった一匹の雌犬を殺し、それですべての問題が解決した。

死体を置いた場所は完璧だった。道からは遠く、藪に隠れていて、だれもあんなところには行かない。村人たちがコンドルを見ても、死んだのは何か野生の動物、フクロネズミか鹿かナマケモノだと思うだろう。そもそも村人がコンドルに気づいたとしたらだが。ナマケモノなら、ダマリス自身も一度、ラ・デスペンサの近くで死骸を見たことがあった。それにこのジャングルでは三日か、長くてせいぜい四日もあれば死体は骨になるから、そうなったら拾って、だれにも見られないように夜間にこっそり海に捨てよう。潮が引いていくときを選べば、波が遠くに運んでくれる。どうかロヘリオが帰ってくるのは、遺骸をすっかり処理したあとでありますように。「きっとそうなるわ」ダマリスは楽観的につぶやいた。

そして、いずれはそのときがくるに違いないが、ヒメナに雌犬のことを訊かれたら、姿は見ていないと答えよう。そしてぽかんとして、「どうして?」

と訊くのだ。「ねえ、いなくなってからどのくらい経つの?」ヒメナが答えたらこう返そう。「そんなに長く!」そう叫んで、さらに続ける。「それでやっと、今日探しに来たの?! あなた、ほんとに無責任だね、あのかわいそうな雌犬がどこにいてどうしているかなんて、わかりっこない。こんなに粗末に扱うと知ってたら、あなたになんて絶対あげたりしなかったのに」

今朝、雌犬がここを上がってくるところを、どうか入り江の付近の住民が見ていませんように。彼らは、あの灰色の毛の犬がダマリスの飼っていた犬だと見分けられる。あるいはヒメナが変にこだわって、この間のように激怒したり、もっとひどい場合には、何の証拠もないのに近所の人に犬を殺されたと言ったときのように、責め立ててきたりしませんように。

なんで電話番号を教えてしまったのだろうと、ダマリスは自分を責めた。もう犬が逃げてきても、連れていったりしないよなんて、どうして言ってしまったのだろう? 探しに来るのはあなたの義務よなんて、どうして強く言ってしまったのだろう？　もう、彼女がいつここに現れてもおかしくない。「まさか」落ち着こうと思ってつぶやいた。「きっとまたあの男の子たちと酔っぱらって、ラリってるに違いないわ」

雨が弱まるのと、濃い闇が薄らいでいくのはほぼ同時だった。すっかり夜が明け、晴れてきたときダマリスは起き上がった。一睡たりともしていなかったが、疲れは感じない。あずまやに入るとすぐ、鼻につんと来る強烈な尿臭に襲われた。掃除するのを忘れていたのだ。コーヒーを入れる代わりに、洗濯場へ洗剤と掃除道具を取りにいった。雌犬が失禁した場所だけでなく、あずまや全体の床を四つん這いになってこすり、そのあとを乾いたモップで拭いた。空気をかいでみる。においが全然弱まっていないような気がして、もう一度掃除する前に、入浴することにした。掃除中、手やひざ、ショートパンツを尿に浸してしまったから、におっているのは自分自身なのではないかと思い、確かめたかった。

洗濯場に行き、ひょうたんの容器で水を浴びはじめたが、相変わらず尿のにおいがする。洗濯用の青い石鹸を体中にこすりつけてからすすいだ。においは消えない。髪を梳いたり吹き出物の芯を取り出したりするときに使う四角い鏡をつかんだ。夫を切り刻んだ女の目がそこに映っていないかどうか見たかった。果たしてそこには危惧した通りの目が映っている気がした。周りの人たちもそれを認めて、自分がやったことに気づくだろう。それから自分の大きくてざらざらした手、子犬が腹に詰まった雌犬を殺した手を見る。網の跡がそこに刻まれていると思った。不安にさいなまれ、天に祈るかのように上を向く。コンドルたちがもう来ていた。

雌犬の死骸を置いた場所の上空辺りで輪を描いて飛んでいるコンドルもいれば、あのインガの木の近くの、枯れかけてはいるが非常に高い木の枝にとまっているコンドルもいる。木にとまったコンドルたちは背を丸めて下を見ている。まるでとびかかる用意はできた、あとはだれかが合図するのを待つだけといわんばかりの態勢だ。おびただしい数のコンドルだった。ホスエが亡くなったときよりも、ナマケモノの死体があったときよりもずっと多い。村ではもう、このことに気づいているのだろうか。気になったダマリスは、濡れたまま、尿のにおいを放ったまま洗濯場を出て庭へ、階段のほうへと向かった。

階段の上からのぞいてみたが、浜辺や人が多い桟橋も、入り江のそばの家々もちゃんと見ることはできなかった。彼女の目が最初にとらえたのが、向こう岸にいるヒメナだったからだ。潮は高く、ズボンの裾を折ったヒメナは、小舟に乗り込んで腰を落ち着けるところだった。入り江のそばに住む漁師がオールを握り、崖に向かって漕ぎ出す間、ヒメナはひっきりなしに何か話している。話題は何でもないことかもしれない。隣村の噂話をくどくど聞かせているのかもしれないし、今朝は晴れ上がって素晴らしい天気ねなどと言っているだけかもしれない。だがダマリスは、ヒメナが雌犬について話し、それに対して猟師が、その犬なら昨日崖に上がっていくのを見たよと答えているような気がしてならなかった。ダマリスは身を隠そうとしたが、ちょうどそのとき漁師が上を指さし、ヒメナも視線を上げて、ふたりは空がコンドルの群れで黒くなっているのに見入った。同時に彼らは、ダマリスにも気づいた。隠れるひまも、何をするひまもなかった。ヒメナは手を上げ、挨拶とも取れる仕草をしたが、ダマリスはそれを警告だと理解した。途方に暮れた。

最初は、ヒメナが着くまでそこにいて、殺害者の手と目つきを見せ、尿臭に気づかせようかと思った。そして自分の犯した過ちと、自分にふさわしい罰を受け入れようと。だけど、とダマリスはつぶやいた。ヒメナも村の人たちも、ふさわしいやり方で自分を罰することなどできはしない。それならば、山に行くべきだろう。裸足で、ストレッチ地のショートパンツと色あせたタンクトップを身に着けただけの姿で、ラ・デスペンサや養殖場、海軍の敷地、ロヘリオと歩き回った場所を通り過ぎ、行かなかった場所も越えて、雌犬やニコラシートのカーテンに描かれた子どものようにジャングルの奥深く、最も恐ろしい場所へと迷い込むべきだと、ダマリスは思った。

訳者あとがき

村岡直子

ジャングルと海がせめぎあう、コロンビア太平洋岸の僻村。都市まで小型船で一時間、それ以外には外部にアクセスする手段のないこの土地の住人たちは、服や靴といった日用品もろくに持たず、現代社会の基準でいえば〝貧しい〟生活をしているが、あふれかえるほどの自然の恩恵を受けているため飢えることはない。非常に貧しく、それでいて非常に豊かで、近代的とはいいがたいが全く未開の土地というわけでもない、同国のなかで最も忘れ去られた場所、それが本書『雌犬』（*La perra*）の舞台だ。

主人公ダマリスは間もなく四十歳になる貧しい黒人女性。切望していた子どもをひとりも産めないまま、女が〝乾く〟年齢となった。夫との仲は冷え切り、崖の上の別荘地で管理人をしながら淡々と暮らしている。そんな彼女の生活が一変したのは、生まれたての雌の子犬を譲り受けたことがきっかけだった。

生後間もなく母犬を亡くした寄る辺ない雌犬を、ダマリスは溺愛する。産むことのかなわなかった我が子の代わりでもあるかのように、娘が生まれたらつけようと思っていた名前をつけ、かたときも離さず連れ歩き、生活の中心に雌犬を据えた。ところが、蜜月は長くは続かなかった。一度山に迷い込んで帰ってきてからというもの、雌犬には逃げ癖がつき、わずかな隙をついては家出して、悪びれもせず戻ってくるようになったのだ。こうして、ダマリスと雌犬の関係は変化を余儀なくされていく――。

濃密な環境で繰り広げられる、人間と犬との濃密な関係を描いた本作。二〇一七年の発売時は特に大々的な宣伝もしなかったというが、たちまち評判が広がって、本書についてファンが語り合うウェブフォーラムも出現するようになり、コロンビアの栄えある賞、ビブリオテカ（図書館）小説賞を受賞。国民文学賞小説部門の最終選考にも残った。また英語、フランス語、オランダ語など十五か国語（二〇二一年現在）に翻訳され、二〇一九年に英国のPEN翻訳賞を受賞。そして二〇二〇年には、米国で最も権威ある文学賞のひとつとされる全米図書賞翻訳部門の最終選考に残った。

作者のピラール・キンタナ（Pilar Quintana）は、一九七二年にコロンビア第三の都市カリに生まれたメスティーソ（混血）の女性である。家庭は比較的裕福だったものの、生後わずか九か月のときに両親が離婚。物質的には不自由しなかったが、心情的には放置され、孤立無援状態だと感じながら育った。家庭だけでなく、小学校五年のときに転入した女子校でも居心地の悪さを感じていた。そこはフェミニズムを標榜しながら実際にはマチスモの考え方が支配的な学校で、強く優しく、働き者で母性的な女性を育てることを方針としていた。学校のみならずカリの街全体に、女の子は常に小ぎれいに装って、慎み深く振る舞わなければならないという気風があり、活発でスポーツ好き、落ち着きがなく無謀なところがある子どもだったと自認する彼女は、押しつけられる理想像にことごとく当てはまらなかった。

職業選択の面でも、周囲の期待と彼女の選択は合致しなかった。父親は、彼女を医者や心理学者といった伝統的に社会的地位が高いとみなされる職業に就かせたいと、考えていたようだ。だが彼女は大学でコミュニケーションを学び、テレビの台本作家や広告会社のコピーライターとして働いた。

ところが働きつづけるうちに、これは自分が本当にやりたいことではないと思いはじめた。「このままでは、定年を迎える五十七歳までこうしていなければならない。あと三十年も会社に行くだけの生活を続けるのなら、自殺したほうがましだ」とまで思いつめた。本当にやりたいこと、それは旅をすること、書くこと、そして物を書いて生活すること。そう結論づけたキンタナは仕事をやめ、「ヘアケア製品がスーツケースに入らなかったから」頭を丸刈りにして、二十八歳になる年に放浪の旅へと出発した。二〇〇〇年にコロンビアを出て、ほとんどすべての中南米諸国を周り、ワールドトレードセンターが破壊されたときにはニューヨークにいた。その後インド、ネパールにも行き、オーストラリアでは季節労働者としてマンゴーを収穫したほか、犬を散歩させる仕事もした。

旅に出る前、彼女は一編の小説を書き終えていた。世に出す伝手などなかったので、電話帳で調べて複数の出版社に原稿を送った。出版を引き受けてくれたプラネタ社から第一作となる『舌のこそばゆさ』(*Cosquillas en la lengua*)を上梓した二〇〇三年、キンタナはコロンビアに戻ったものの、まだ旅の延長のつもりで、バジェ・デル・カウカ県ファンチャコという太平洋に臨む土地に移住した。そこは最も近い都市ブエナベントゥーラまで船で一時間かかり、浜辺の際までジャングルが迫る鄙びた村……。もうおわかりだろう。ダマリスの物語の舞台は、作者キンタナが実際に暮らした土地をそっくりそのまま描写したものなのだ。当時の夫とともに、断崖の上に自分たちの手で小屋を建て、二〇一二年までの九年間をそこで過ごした。地所は広大で、隣家を訪ねるときは山刀で道を切り開きながら歩いた。村に下りたときに、満潮で水位が上がれば、断崖との間の浜が没するので泳いで帰らなければならなかった。まさに本書『雌犬』の世界そのものの暮らしだ。

文明と隔絶された場所で、本人曰く「修道女のように禁欲的な」生活を送りながら、彼女は三冊の本を書き上げた。二〇〇七年に出版された『珍奇な埃の蒐集家たち』（*Coleccionistas de polvos raros*）、二〇〇九年の『イグアナの陰謀』（*Conspiración iguana*）、そして二〇一二年の短編集『赤ずきんはオオカミを食べる』（*Caperucita se come al lobo*）である。そのほかにも、短編の雑誌掲載やアンソロジー収録など精力的な執筆活動を行って国内外での評価が高まり、二〇〇七年には英国発祥の文学祭ヘイ・フェスティバルで〈三十九歳以下の傑出したラテンアメリカ作家三十九人〉のひとりに選ばれた。また前出の『珍奇な埃の蒐集家たち』はスペインのラ・マル・デ・レトラス小説賞を受賞。アイオワ大学主催の国際ライティングプログラムに研修作家として、香港浸會大学主催の国際ライターズ・ワークショップには客員作家として招待されている。

このように文学界ではその実力が高く評価されていた、いわば玄人受けしていたキンタナだが、多くの一般読者を獲得し、各国語に翻訳されて世界的に広く名前が知られるようになったのは本書『雌犬』が出版されてからである。では、それまでの作品と本書との違いは何かというと、テーマから物語の背景、登場人物の設定まで、作風が大きく変わったことが挙げられる。それまでは、カリにいたときの第一作はもちろん、ジャングルのただなかで執筆した作品でさえ、都市を舞台としていた。海とジャングルを物語の中心に据えた本書をキンタナが書きはじめたのは意外にも、ファンチャコを離れ、再び都市で生活しはじめてからのことだった。

日本に暮らす身では想像が追いつかないほどの圧倒的な大自然と、そのなかで営まれるごく当たり前の人々の日常。その両方をこの上なくリアルに描けたのは、作者自身がそこで生活していたからにほかならない。屋根をたたく太鼓のような雨音、ジャングルにひそむ動物たちの息遣い。それらすべては作者が実際に経験したものだからこそ、迫力を持って読む者の胸に迫ってくるのだ。たとえばキンタナが複数のインタビューで語っている、犬にまつわるエピソードがある。

ある日彼女は、崖の上で一匹の雌犬が横たわっているのを見た。最初は体を痙攣させているのかと思ったが、よく見ると犬自身が体を動かしているのではなく、蛆虫がたかって死骸を蝕んでいるのだということがわかった。上空ではコンドルが偵察するように飛び回っていた。二日後に同じ場所に行ってみると、犬はもう影も形もなかった。よく見ればわずかな骨と毛が残っているだけで、死骸が消え去るあまりの早さに彼女は衝撃を受けたという。本書を最後まで読まれた方なら、このエピソードが著者の心にいかに深い印象を残し、物語のなかに活かされたかがおわかりいただけると思う。だがこのような強烈な体験が小説という形をとるまでには時間がかかった。

もうひとつ、『雌犬』の着想につながったと思われるエピソードがある。キンタナが崖の上の小屋で読んだ数多くの本のなかに、フェデリコ・ガルシア・ロルカの戯曲『イェルマ』があった。主人公の名前イェルマ（Yerma）は「不毛の」を意味する形容詞。偏見の強いスペインの田舎で、子どもができないことに苦しむ女性を悲劇的に描いた物語である。男性の視点から不妊を描いた同書を読んだとき、キンタナは女の視点から同じテーマを描いた本があれば面白いのに、と思った。だがそれを自分で書こうとは思ってもみず、やがてその本を読んだことすら忘れてしまった。思い出したのは、『雌犬』を書いたあとに類似性を指摘されたときだった。

ジャングルで暮らしていたとき不妊をテーマにしようと思わなかったのは、単に、そのころは母になることや母性に興味がなかったからだ。のちのインタビューでその理由を問われたキンタナは、当時の夫の子どもを産みたくはなかった、心の奥底で、この関係を続けてはいけないとわかっていたからだと思うと答えている。前夫は暴力的な男で、彼女がパソコンの前に座って執筆していると怒り出した。逃げると追いかけられ、自作の木造小屋の壁に押しつけられた。ある日首をつかまれて窒息しそうになり、ようやくこの男は自分にとっての敵だと理解して、ジャングルでの共同生活を終わらせようと決めた。

都市に帰って暮らしはじめたときには三十九歳、結婚生活の破綻に心は傷つき、もうだれかに愛されることもなければ、だれかを愛することもないだろうと決め込んでいた。そんなときに現れたのが、のちに夫となる十歳下の男性、エドゥアルド・オタロラだ。彼との間に思いがけず子どもができ、やがて流産したとき、彼女は初めて、この先妊娠することはないかもしれないという恐怖を感じた。そして母になること、母性について真剣に考え出し、女が〝乾く〟年齢を過ぎた四十三歳で出産した。

子育てはとてつもない激務であると同時に、創造性を解き放つトリガーでもあった。時間も体も心も、自分の全存在を育児に捧げる毎日のなかで、自由に使えるのは息子が昼寝している二時間だけだった。その貴重な二時間に、彼女は人間の暗い側面を映し出す物語を、慈しみを込めて携帯電話に打ち込んだ。こうして、本書『雌犬』が生まれた。

その内容もさることながら、本書はコロンビア人女性が太平洋岸を舞台に書いた物語という点でも注目されるべきだろう。コロンビアを代表する作家がガブリエル・ガルシア＝マルケスであることは論を俟たないが、そのほかの、たとえば邦訳のある作家を見ても、フアン・ガブリエル・バスケス、ホルへ・フランコなど男性ばかりが目につく。少なくとも国際的には、女性作家はあまり知られていなかったというのが実情だと言える。またカリブ海沿岸を舞台にした名作文学は多いが、コロンビアの太平洋岸は近年まで、物語の背景として焦点を当てられてこなかった。そういう意味では、本書が作者自身にとってエポックメイキング的な作品であったのと同時に、コロンビア文学界全体にとっても、新風を吹き込む存在であったことは確かだ。

キンタナは二〇二一年に新作『深淵』(*Los abismos*)を発表。カリに住む、崩壊の危機を内包した一家の物語を八歳の女の子の一人称で綴った小説で、『雌犬』と同様、母性が重要なテーマになっている。本書が人間と犬に仮託した疑似母娘関係を母の視点から描いたものだとしたら、『深淵』は血のつながった母娘関係を娘の視点から描いた作品であり、この二作は対をなすものと言える。描かれる女性像は対照的で、ダマリスが子を産むことを切望しながら願いがかなえられずにいる一方、『深淵』は、子どもがほしいと思っていなかったのに産んでしまう母親が登場する。同作でキンタナはスペイン語圏で最も注目を集める文学賞のひとつ、アルファグアラ賞を受賞した。彼女がこのテーマをさらに突き詰めていくのか、それとも新しい地平を切り開くのか、いずれにせよこの先も目が離せない作家であることは間違いない。

本書の邦訳に携わったのは、スペイン大使館が運営する本の紹介サイト「ニュー・スパニッシュ・ブックス（NSB）」のためにリーディングレポートを作成したことがきっかけだった。そのレポートに目をとめていただき、版権取得から出版に至るまでの全工程で多大なご尽力をいただいた国書刊行会の伊藤昂大さん、そして出版社と訳者との橋渡しをしてくださったスペイン大使館の金関あささんに、この場を借りて心からお礼を申し上げたい。

＊本稿は主に『エル・パイス』紙、『ラ・バングアルディア』紙、『ボカス』誌、ＢＢＣによる著者のインタビューを参考にした。

ピラール・キンタナ　Pilar Quintana

作家。1972年コロンビア・カリ生まれ。教皇庁立ハベリアナ大学卒業後、2003年に長編『舌のこそばゆさ』でデビュー。国内外で文学的力量が高く評価され、2007年にはヘイ・フェスティバルの「39歳以下の傑出したラテンアメリカ作家39人」の一人に選出。代表作『雌犬』は、世界15か国語以上に翻訳され、2018年コロンビア・ビブリオテカ小説賞、2019年英国PEN翻訳賞を受賞、2020年には全米図書賞翻訳部門最終候補にノミネートされた。その他の作品に、長編『珍奇な埃の蒐集家たち』(2007、ラ・マル・デ・レトラス小説賞受賞)、『イグアナの陰謀』(2009)、短編集『赤ずきんはオオカミを食べる』(2012) がある。最新長編『深淵』(2021) で、スペイン語圏最高の文学賞の一つであるアルファグアラ賞を受賞。暗く複雑な人間の側面を、簡潔かつ濃密に描くスタイルを特徴とし、現在、世界的に大きな注目を集める実力派作家である。

村岡直子　むらおかなおこ

スペイン語翻訳者、㈲イスパニカ翻訳講座講師、校正者。兵庫県出身、同志社大学文学部卒業。グラナダ大学セントロ・デ・レングアス・モデルナス留学。訳書にマイク・ライトウッド『ぼくを燃やす炎』(サウザンブックス)、フェデリコ・アシャット『ラスト・ウェイ・アウト』(早川書房)、トニ・ヒル『ガラスの虎たち』(小学館)、共訳書にペドロ・バーニョス『地政学の思考法』(講談社)、マリア・ピラール・ケラルト・デル・イエロ『ヴィジュアル版スペイン王家の歴史』(原書房、青砥直子名義) などがある。

雌犬（めすいぬ）

ピラール・キンタナ　著　　村岡直子　訳

2022年4月20日　初版第1刷　発行

ISBN 978-4-336-07317-4

発行者　佐藤今朝夫

発行所　株式会社国書刊行会

〒174-0056 東京都板橋区志村1-13-15

TEL 03-5970-7421　FAX 03-5970-7427

HP https://www.kokusho.co.jp

Mail info@kokusho.co.jp

印刷　モリモト印刷株式会社

製本　株式会社ブックアート

装幀　アルビレオ

装画　POOL

乱丁・落丁本はお取り替えいたします。

女であるだけで **新しいマヤの文学**
ソル・ケー・モオ／フェリペ・エルナンデス・デ・ラ・クルス解説／吉田栄人訳
四六変型判／二五〇頁／二六四〇円

メキシコのある静かな村で起きた衝撃的な夫殺し事件の背後には、おそろしく理不尽で困難な事実の数々があった……先住民女性の夫殺しと恩赦を法廷劇的に描いた現代ラテンアメリカ文学×フェミニズム小説。

言葉の守り人 **新しいマヤの文学**
ホルヘ・ミゲル・ココム・ペッチ／エンリケ・トラルバ画／吉田栄人訳
四六変型判／二二四頁／二六四〇円

「ぼく」は《言葉の守り人》になるために、おじいさんとともに夜の森の奥へ修行に出る。不思議な鳥たちとの邂逅、風の精霊の召喚儀式、蛇神の夢と幻影の試練……神話の森を舞台にした呪術的マヤ・ファンタジー。

夜の舞・解毒草 **新しいマヤの文学**
イサアク・エサウ・カリージョ・カン／アナ・パトリシア・マルティネス・フチン／吉田栄人訳
四六変型判／二七八頁／二六四〇円

薄幸な少女フロールが、不思議な女・小夜とともに父探しの旅に出る夢幻的作品「夜の舞」と、女たちの霊魂が語る苦難の宿命と生活を寓意的に描く「解毒草」の二中編を収録した、マジックリアリズム的マヤ幻想小説集。

記憶の図書館 **ボルヘス対話集成**
ホルヘ・ルイス・ボルヘス、オスバルド・フェラーリ／垂野創一郎訳
A５判／七〇〇頁／七四八〇円

ボルヘス、世界文学の迷宮を語る。ポー、カフカ、フロベール、ダンテ、幻想文学、推理小説――偏愛してやまない作家と作品をめぐる一一八の対話集。多彩なテーマは日本、仏教、映画等々までにおよぶ。

（価格は10％税込）